Weltall

Weltall

Sterne, Planeten, Galaxien

Ravensburger Buchverlag

Inhalt

Die Erforschung des Alls 6

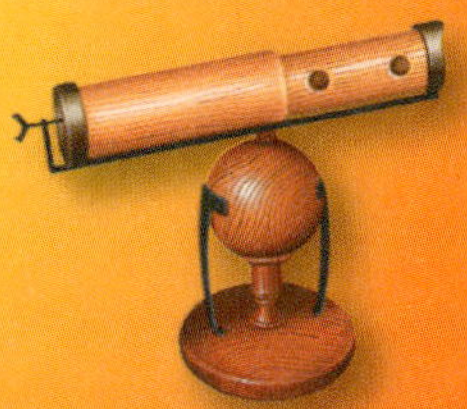

Unser Sonnensystem 20

Unser Universum 46

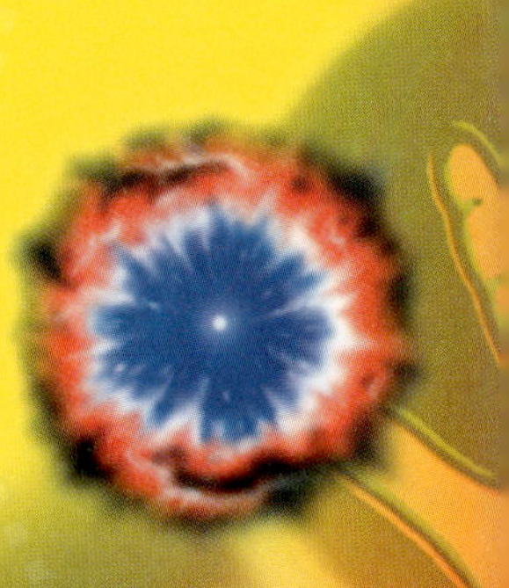

Wegweiser zum Wissen

Gleich beginnt für dich eine unglaublich spannende Reise in das Weltall. Kein anderes Buch bietet so viele Möglichkeiten, das All zu erforschen. Du kannst in unserer kosmischen Nachbarschaft starten, durch den äußeren Raum fliegen und in den unendlichen Weiten des Universums enden. Oder lies, was dich am meisten interessiert. Wenn du dich besonders für Supernovas interessierst, die gewaltigsten Explosionen der Natur, fang bei „Veränderliche Sterne" an und schmökere von dort aus weiter.
Auf jeder Seite gibt es Neues zu entdecken. Lies über die Helden des Weltraums in „Insidestory" oder mach mit bei „Sei aktiv!". Verfolge die Herkunft von Fremdwörtern im „Wörterbuch" oder bringe deine Freunde mit interessanten Informationen aus „Schon gewusst?" zum Staunen.
Wann immer du das Buch aufschlägst, kannst du einen anderen Weg gehen – es bringt dich überall hin, wo du möchtest.

INSIDESTORY

Meilensteine

Fliege mit Galileo durch die Milchstraße und sei der erste Mensch, der die Sterne durch ein Teleskop sieht. Spüre mit Kommandantin Eileen Collins die Erschütterungen des Cockpits, wenn die Weltraumfähre startet. Untersuche mit Clyde Tombaugh ein rätselhaftes Foto und entdecke Planet X – den geheimnisvollen Pluto. INSIDESTORY macht dich mit den Männern und Frauen bekannt, die die Grenzen des Alls erforschen. Stell dir vor, du bist bei ihnen, und erfahre, welches Gefühl es ist, die Geheimnisse des Alls zu enträtseln.

SEI AKTIV!

Mach es selbst!

Beweise mit Eisstielen, dass die Erde sich dreht. Beobachte die vier größten Jupitermonde mit dem Fernglas. Finde heraus, wann es Meteorschauer geben wird, und warum Sterne funkeln. Erschaffe einen „Außerirdischen", der auf einem Saturnmond leben könnte. SEI AKTIV! enthält Experimente und Projekte, die die Astronomie – und den Nachthimmel – zu Leben erwecken!

WÖRTERBUCH

Was für ein komisches Wort! Was bedeutet es? Woher kommt es? Lies darüber nach im Kästchen **WÖRTERBUCH.**

SCHON GEWUSST?

Beeindruckende Fakten, überraschende Rekorde, faszinierende Zahlen – all dies findest du im Kästchen **SCHON GEWUSST?**

WEGWEISER

Im Kästchen **WEGWEISER** wirst du zu anderen Themen geführt, die mit dem, was du gerade liest, in Zusammenhang stehen.

Auf die Plätze!
Fertig! Los!

Die Erforschung des Alls

Mach dich bereit für die Erforschung des Weltraums. Deine Reise beginnt mit der Erde und ihrem Platz im endlosen All. Dann teilst du die Sicht all der Menschen, die den Nachthimmel erkundet haben – von frühen Astronomen mit ihren einfachen Teleskopen bis zu den Wissenschaftlern unserer Zeit, die mit dem Hubble-Weltraumteleskop fantastische Bilder machen. Lass die Erde hinter dir und geselle dich zu den Astronauten, die mit dem Raumschiff Apollo zum Mond fliegen oder unseren Planeten in der Raumfähre umkreisen. Geh, wohin kein Mensch gehen kann, indem du den Robotersonden folgst. Und beschäftige dich mit einem der größten Geheimnisse – gibt es noch anderes Leben im Universum?

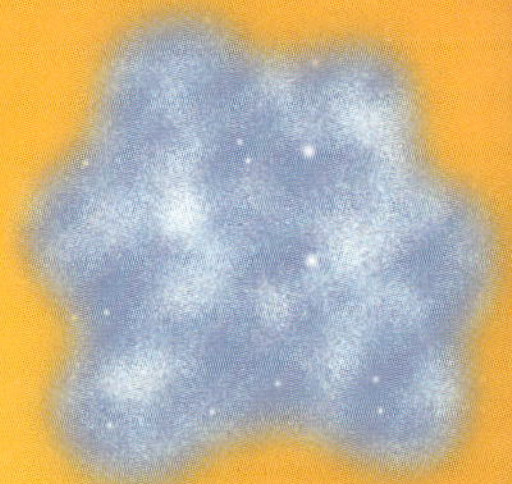

Seite **8**

Wo befindet sich die Erde im Universum? Was bedeuten die Punkte auf dieser Fotografie? Lies nach bei **Die Erde im Weltall**.

Seite **10**

Wer blickte als Erster durch ein Teleskop auf den Nachthimmel? Was für eine Strahlung sendet ein frischer Toast aus? Lies nach bei **Das All wird größer**.

Seite **12**

Warum wirft die Raumfähre ihre Brennstofftanks ab? Was macht dieser Astronaut auf dem Mond? Lies nach bei **Start in All**.

Seite **14**

Wo wird die Internationale Raumstation gebaut?

Wie bleibt ein Shuttle-Astronaut im Weltraum kühl? Lies nach bei **Arbeiten im All**.

Seite **16**

Wie wird eine Sonde auf Titan, einem der Saturnmonde, landen?

Was fand der Sojourner-Rover auf dem Mars? Lies nach bei **Robotersonden**.

Seite **18**

Auf welcher Art von Planeten könnten diese Wesen leben?

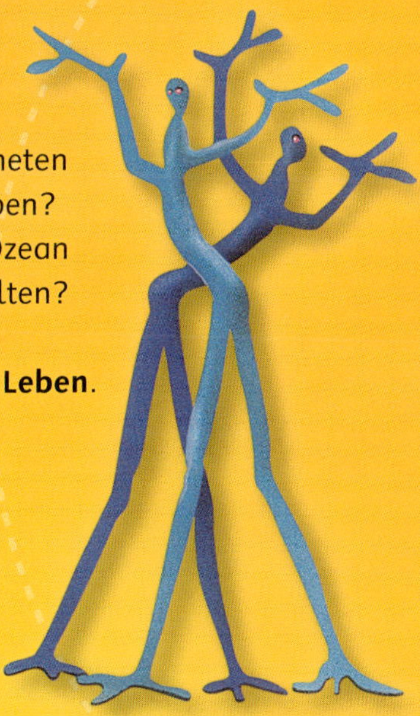

Welcher planetarische Ozean könnte Leben enthalten? Lies nach bei **Die Suche nach Leben**.

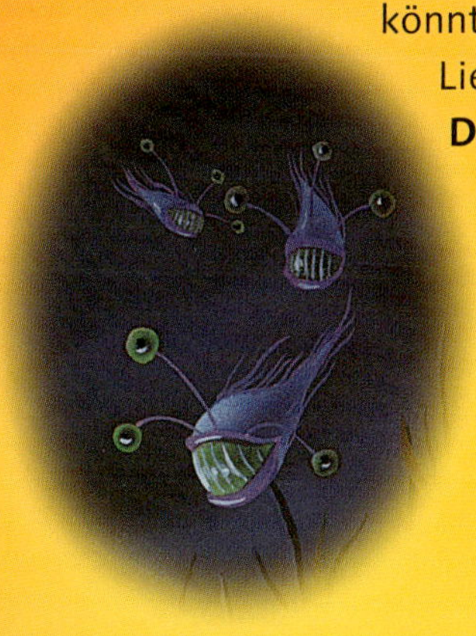

Venus, der nächste Planet

Andromeda, die nächste große Galaxie

Die Erde im Weltall

Wenn du nachts zu den Sternen aufblickst, kommst du dir vielleicht wie der Mittelpunkt des Universums vor – umgeben von Planeten und Sternen, die sich um die Erde bewegen. Jahrtausendelang glaubten die Menschen, das Universum drehe sich um die Erde.

Im Jahr 1543 aber erkannte der Astronom Nikolaus Kopernikus, dass sich die Planetenbewegungen am besten damit erklären ließen, dass alle Planeten einschließlich der Erde um die Sonne kreisten. Im folgenden Jahrhundert veränderte sich das Weltbild von einem Modell mit der Erde im Mittelpunkt zu einem, in dessen Mitte die Sonne steht. Seither ist dieses Modell aber noch stark erweitert worden. Astronomen entdeckten, dass die Sonne nur einer von vielen Sternen ist, dass sie weit vom Zentrum der Milchstraße entfernt ihre Bahn zieht und dass die Milchstraße nur eine von Milliarden Galaxien ist.

Das Universum ist so groß, dass Licht aus den fernsten Regionen des Raums Milliarden Jahre braucht, um zu uns zu gelangen. Das bedeutet, dass wir weit entfernte Galaxien so sehen, wie sie vor Jahrmilliarden aussahen, als das Universum noch jung war.

Bis zum Mond braucht das Licht 1,3 Sekunden.

Menschen sind bisher nur bis zum Mond gelangt.

Acht Planeten drehen sich um unseren Stern, die Sonne.

Bis zum Pluto braucht das Licht 6 Stunden.

Für ihre Durchquerung braucht das Licht 100 000 Jahre.

Im Dezember 1995 richteten die Astronomen das Hubble-Weltraumteleskop auf ein kleines Fleckchen Himmel in der Nähe des Großen Wagen (ganz rechts). Auf dem Hubble-Foto (rechts) waren rund 2000 Galaxien zu erkennen. Viele dieser Galaxien sind so weit entfernt und ihr Licht braucht bis zu uns so lange, dass wir sie so sehen, wie sie gleich nach ihrer Entstehung vor 14 Milliarden Jahren aussahen.

Satelliten, die über der Erdatmosphäre kreisen, können auf der Erde Objekte von der Größe eines Autos erkennen. Diese Aufnahme zeigt Straßen, Brücken und Anleger in San Francisco und Oakland in Kalifornien, USA. Die grünen Rechtecke sind Parks. Punkte im Hafen sind Schiffe. Die Blauschattierungen im Wasser zeigen Strömungen im Hafen.

WÖRTERBUCH

Das Wort **UNIVERSUM** kommt von den lateinischen Wörtern uni und versus, das heißt so viel wie „ganz“. Das Universum umfasst alles, was existiert. Früher glaubte man, dass es fast nur aus der Sonne und den Planeten bestehe, doch um 1600 erkannte man, dass es noch andere Sterne wie die Sonne gab. Als man um 1920 andere Galaxien entdeckte, wuchs unser Weltbild weiter.

SCHON GEWUSST?

Würdest du mit einem Auto mit Autobahngeschwindigkeit fahren, bräuchtest du 340 Milliarden Jahre bis zum Zentrum der Milchstraße – das ist 25-mal mehr als das Weltalls alt ist.

Die Erde, die Sonne und das übrige Sonnensystem kreisen in unserem Milchstraßensystem mit einer Geschwindigkeit von 900 000 km/h.

WEGWEISER

- Wo beginnt der Kosmos? Lies nach auf S. 15.
- Warum zögerte Nikolaus Kopernikus zu sagen, dass die Erde sich um die Sonne dreht? Lies nach auf S. 22.
- Wozu können Astronomen Veränderliche brauchen? Lies nach auf S. 52.
- Wie begann das Universum? Lies nach auf S. 60–61.

Das Licht legt in einer Sekunde 300 000 km zurück. In einer Stunde schafft es 1078 Millionen km. In einem Jahr sind es 9,5 Billionen km; diese Entfernung nennen Astronomen ein Lichtjahr. Wenn wir die Lichtgeschwindigkeit als kosmischen Maßstab verwenden, können wir in fünf großen Sprüngen bis an den Rand des Universums gelangen.

Unsere Spiralgalaxie enthält 200 Milliarden Sterne.

Die Lokale Gruppe enthält rund 30 Galaxien.

Bis zum Andromeda-Nebel braucht das Licht 2,8 Millionen Jahre.

Bis an den Rand des Universums braucht das Licht 15 Milliarden Jahre.

Das Universum enthält 50 Milliarden Galaxien.

INSIDESTORY

Expandierendes Weltall

„Es wird Sie interessieren zu hören, dass ich im Andromeda-Nebel einen Cepheiden-Veränderlichen gefunden habe.“ Mit diesen Worten verkündete der US-Astronom Edwin Hubble der Welt, dass das Universum größer ist als je angenommen wurde. Das war 1924. Hubble hatte einen Veränderlichen Stern gefunden, mit dem er beweisen konnte, dass Andromeda kein Nebel (Galaxis) in unserem Milchstraßensystem war, sondern zu einer weit entfernten Galaxis gehörte. Das bedeutete, dass die Milchstraße nur eine von vielen Galaxien ist. Hubble erkannte auch, dass unsere Nachbargalaxien sich von uns fortbewegen und das Universum sich ständig ausdehnt („expandiert“).

Der Blick aus einer Raumfähre zeigt einen Teil der Küste von Mosambik in Afrika. Die roten Gebiete sind Wälder und Felder, die blauen und schwarzen Gebiete sind der Indische Ozean. Die weißen Streifen sind Rauchwolken von Waldbränden, die zur Rodung von Ackerbauflächen angelegt wurden.

Vom 386 000 km entfernten Mond aus blickten die Apollo-Astronauten auf ihren Heimatplaneten. Sie sahen eine wunderschöne blaue Kugel über dem Mondhorizont aufgehen.

Aus 6,2 Millionen km Entfernung zeigen Aufnahmen der Raumsonde Galileo die im schwarzen Raum schwebende Erde mit ihrem Mond.

Galileos Linsenfernrohr, 1609

Isaac Newtons Spiegelteleskop, 1671

William Herschels Spiegelteleskop, 1781

Das All wird größer

Der Raum ist so unvorstellbar weit, dass die schnellste Rakete unserer Zeit 100 000 Jahre bräuchte, um zum nächsten Stern jenseits der Sonne zu rasen. Darum erforschen Astronomen das Universum mit Teleskopen.
Die ersten Teleskope (Refraktoren) fingen das Licht mit einer Linse ein. Dann erfand Isaac Newton 1671 das Spiegelteleskop (Reflektor), bei dem das Licht mithilfe eines Spiegels gesammelt wird. Heute sind die meisten Teleskope in Observatorien Reflektoren. Je größer der Spiegel, desto mehr Licht wird eingefangen; darum können größere Teleskope Objekte zeigen, die lichtschwächer und weiter entfernt sind.
Nicht alle Teleskope fangen Licht ein. Planeten, Sterne und Galaxien senden auch unsichtbare Strahlung aus, wie Radio- und Röntgenwellen. In den letzten 50 Jahren haben Astronomen Teleskope gebaut, die für diese unsichtbare Strahlung empfindlich sind. Unsere Lufthülle hält einen Teil der Strahlung ab, darum werden Infrarot-, Ultraviolett- und Röntgenteleskope im All stationiert. Mit diesen Weltraumteleskopen hat man bisher unbekannte Objekte wie explodierende Galaxien und Schwarze Löcher entdeckt.

INSIDESTORY

Sensationell

„In welchen Teil der Milchstraße ich das Fernrohr auch richte, überall zeigt sich eine so große Menge anderer Sterne, wie es kaum glaublich ist." Diese Worte schrieb Galileo Galilei nach seiner sensationellen Entdeckung im Jahr 1610. „Ich bin außer mir vor Staunen – ich habe vier Planeten beobachtet, die ihre Bahnen um Jupiter ziehen." Es waren Monde von Jupiter, und sie waren der Beweis dafür, dass sich nicht alles um die Erde dreht. Galileo fügte hinzu: „Ich bin unendlich dankbar dafür, dass ich als Erster so große Wunder entdecken durfte."

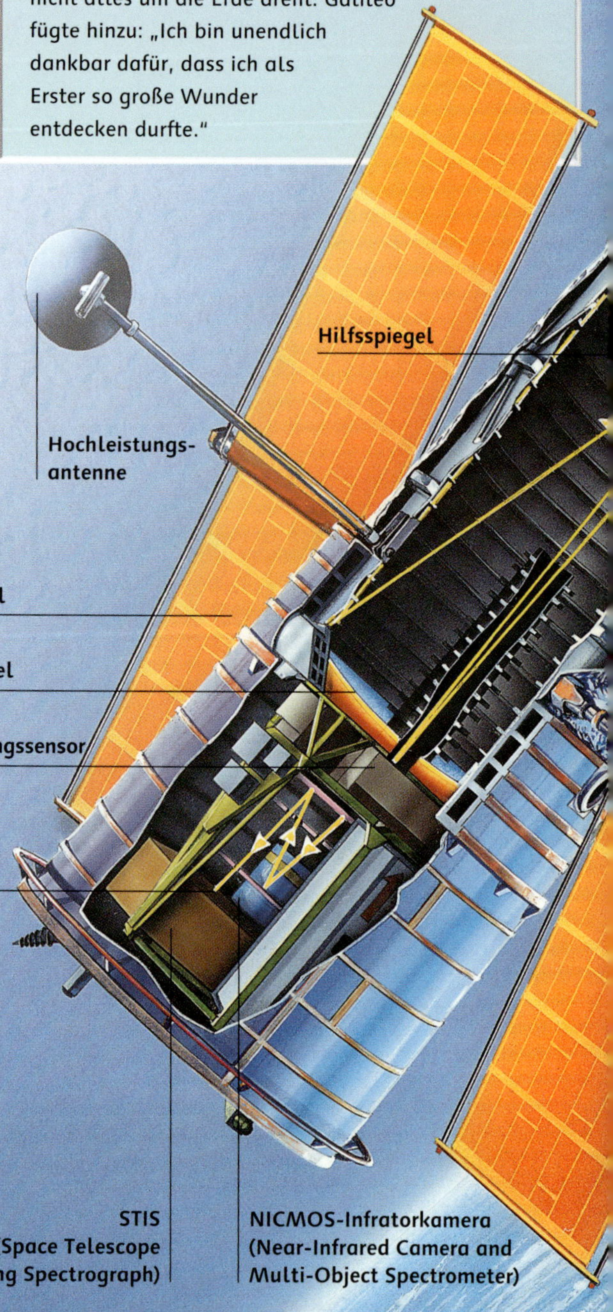

SEI AKTIV!

Blick zum Himmel

Du brauchst nicht das Hubble-Weltraumteleskop, um das All zu erforschen. Mit bloßem Auge kannst du die Sterne betrachten und altbekannte Sternbilder wie Orion und den Löwen suchen. Auch kannst du fünf der Planeten sehen, die Mondphasen beobachten oder eine Sternschnuppe entdecken. Mit einem Fernglas siehst du so viele Einzelheiten wie Galileo durch sein einfaches Teleskop. Damit kannst du die Monde Jupiters, die Sternenfülle der Milchstraße oder den Orionnebel bewundern. Ein Teleskop zeigt noch mehr – von Saturns Ringen und Jupiters Wolken zu den Spiralarmen der Andromeda-Galaxie. Wenn du durch ein Teleskop blicken möchtest oder Fragen zum Nachthimmel hast, wende dich an das nächste Observatorium oder Planetarium.

Greenbank-Radioteleskop, 1965

Britisch-australisches Teleskop, 1974

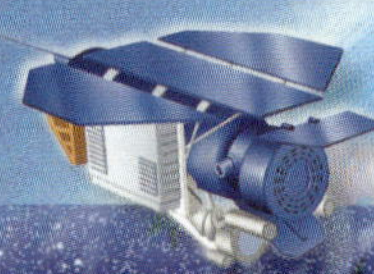
ROSAT-Röntgenteleskop, 1990

WÖRTERBUCH

Galileo verwendete als erster Astronom ein Teleskop, doch er nannte sein Instrument noch Fernrohr. Im Jahr 1611 schlug der griechische Dichter Demisiani bei einem Essen zu Ehren Galileos die Bezeichnung **TELESKOP** vor, aus den griechischen Wörtern tele für „weit" und skopein für „sehen".

SCHON GEWUSST?

Mit vier 8,2-Meter-Spiegeln ist das VLT (Very Large Telescope) das größte optische Teleskop der Welt.

Wenn das Großteleskop der nächsten Generation in seine Umlaufbahn gebracht ist, wird sein Spiegel vielleicht 8 m Durchmesser haben und sich wie die Blätter einer Blüte öffnen.

WEGWEISER

- Welche Aufsehen erregende Bilder sandte das Hubble-Teleskop zur Erde? Lies nach auf **S. 8, 52–53 und 54–55**.
- Was erlauschen Radioteleskope? Lies nach auf **S. 19**.
- Weitere Tipps zur Himmelsbeobachtung findest du auf **S. 30, 37, 44, 48–49, 55 und 57**.

Die Erdatmosphäre macht die von erdgebundenen Teleskopen empfangenen Bilder unscharf. Darum stationierten Astronomen das Hubble-Teleskop außerhalb der Atmosphäre. Hubble umkreist die Erde alle 90 Minuten und liefert die schärfsten je von Sternen und Galaxien gemachten Fotos. Mit elektronischen Kameras macht es digitale Aufnahmen. Das Teleskop überträgt dann die Bilder per Funk ans Kontrollzentrum auf der Erde. Alle drei Jahre fliegen Astronauten in einem Raumschiff zum Hubble-Teleskop, um alte Teile zu reparieren oder zu ersetzen.

Astronomen bauen Teleskope dort, wo der Himmel klar ist – auf Berggipfeln, weit weg von Stadtlichtern. Auf dem Mauna Kea in Hawaii, USA, stehen viele optische Teleskope (mit denen sichtbares Licht gesammelt wird). Jedes der beiden Keck-Teleskope arbeitet mit einem 10-m-Spiegel, was sie zu den größten optischen Teleskopen der Welt macht. Sie sind in zwei riesigen Kuppeln untergebracht.

Das VLA (Very Large Array) in New Mexico, USA, gehört zu den größten Radioteleskopen der Welt. Seine 27 schüsselförmigen Antennen können knisternde Radiosignale empfangen, die von Planeten, Sternen und Galaxien kommen. Mit Radioteleskopen wie das VLA haben Astronomen die Form unseres Milchstraßensystems kartiert.

DAS UNSICHTBARE SEHEN

Das Licht ist nur eine Art von Strahlung aus dem All. Objekte im Weltraum senden noch andere Arten von Strahlungen aus. Könnten deine Augen diese unsichtbaren Wellen sehen, sähe das Universum ganz anders aus.

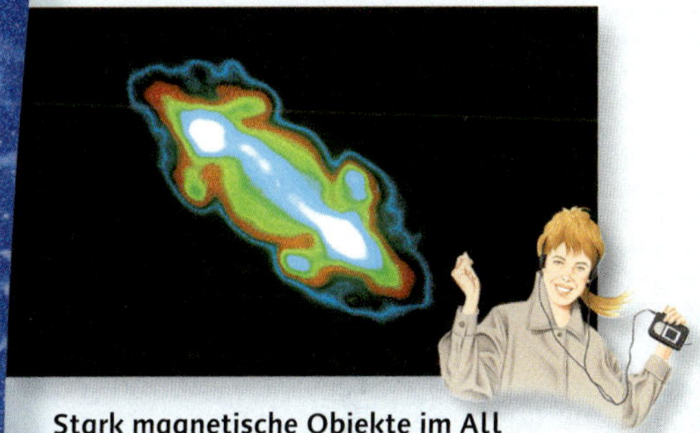

Stark magnetische Objekte im All strahlen Radiowellen aus. Auf diesem Radiobild von Jupiter ist das gewaltige Magnetfeld des Planeten zu erkennen.

Warme Objekte, wie frisch getoastetes Brot, senden Infrarotstrahlen aus, also Wärme. Infrarotbilder, wie dieses vom Saturn, verraten uns die Temperatur von Objekten und lassen uns durch dicke Staubwolken in den Raum blicken.

Ärzte untersuchen den Körper mit Röntgenstrahlen. Astronomen beobachten mit Röntgenteleskopen, wie aufgeheizte Gase in Schwarze Löcher fallen, wie im Stern Cygnus X-1 auf diesem Röntgenbild.

Wostok, 1961 Gemini, 1965 Sojus, 1967 Raumfahrzeug der Zukunft

Start ins All!

Während Teleskope Astronomen die Beobachtung ferner Galaxien ermöglichen, bringen Raketen Menschen in den erdnahen Weltraum. Als Erster flog 1961 der Russe Juri Gagarin durch das All. Zwischen den USA und der Sowjetunion begann ein Wettlauf um die erste Mondlandung eines Menschen. Er endete 1969, als der Amerikaner Neil Armstrong auf dem Mond stand.
Um in eine Erdumlaufbahn einzutreten, braucht ein Raumschiff Geschwindigkeiten von mehr als 28000 km/h. Nur raketengetriebene Raumflugkörper sind schnell genug, um ins All zu gelangen. Die meisten bestehen aus mehreren Stufen, die abgesprengt werden und von denen nur die leichte, oberste Stufe die Umlaufbahn erreicht. In Zukunft werden raketengetriebene Raumfahrzeuge mit nur einer einzigen Stufe auf eine Umlaufbahn gebracht.
Die US-amerikanische Raumfahrtagentur NASA verfügt über vier Raumfähren. Die Shuttles können die Erde umkreisen, aber sie können ihre Umlaufbahnen nicht verlassen. Die Saturn-5-Rakete beförderte Raumfahrer der Mondmissionen, aber die letzte Saturn 5 startete 1973.

Von 1968 bis 1972 besuchten 27 Astronauten den Mond in einem Apollo-Raumschiff. Meistens landeten jeweils zwei Astronauten mit der Mondfähre, während ein Astronaut in der Kommandokapsel kreiste. 1972 spielte Alan Shepard mit einem Gesteinsammelgerät Golf auf dem Mond.

SEI AKTIV!

Starte eine Rakete

Wie eine Rakete startet, kannst du ganz einfach vorführen.

1. Blase einen Luftballon auf und drücke die Öffnung des Ballons mit den Fingern fest zu, damit die Luft nicht entweichen kann.
2. Richte den Ballon nach oben und lass ihn los. Die entweichende Luft stößt den Ballon vorwärts.
3. Statt Luft braucht eine Rakete heiße Gase als Antrieb. Ihre Triebwerke verbrennen Treibstoffe. Die heißen Verbrennungsgase dehnen sich aus und werden durch Düsen nach hinten ausgestoßen. Dadurch erhält die Rakete ihren Schub.

Von den US-Raumfahrtmissionen der 1960er- und 1970er-Jahre kehrten die Astronauten in Kapseln zur Erde zurück, die im Ozean wasserten. Sie wurden von Helikoptern geborgen. Heute landen Raumfähren auf Landebahnen und die Astronauten steigen wie aus Flugzeugen aus.

FLUG IN DER RAUMFÄHRE

Beim Start (T) minus 6,6 Sekunden zünden die drei Haupttriebwerke. Bei T gleich 0 zünden die beiden Feststofftriebwerke (FST) und das Raumschiff hebt ab.

Mit einem Knall bei T plus 2 Minuten sind die FST ausgebrannt und lösen sich vom Shuttle. An Fallschirmen schweben sie zur Erde zurück, wo sie geborgen werden. Der Flug wird ruhig.

Die Haupttriebwerke verbrennen flüssigen Wasserstoff und Sauerstoff aus dem Außentank. Bei T plus 8,5 Minuten sind die Triebwerke ausgebrannt. Der Außentank fällt in den Pazifik.

WÖRTERBUCH

Amerikanische Raumfahrer nennt man **ASTRONAUTEN**, nach den griechischen Wörtern astron und nautes, was „Sternenreisende" bedeutet. Russische und andere Raumfahrer aus der früheren Sowjetunion heißen **KOSMONAUTEN**, was „Reisende in den Kosmos" bedeutet. Heute fliegen beide auf gemeinsamen Missionen ins All.

SCHON GEWUSST?

Die beiden letzten der Saturn-5-Raketen, die Menschen zum Mond brachten, stehen heute in NASA-Museen in Houston und in Cape Canaveral.

Beim Start verbrennt eine Raumfähre bis zu 10 Tonnen Treibstoff pro Sekunde.

28000 Keramikkacheln schützen die Fähre vor der Hitze beim Wiedereintritt.

WEGWEISER

- Wie fühlt man sich bei Schwerelosigkeit? Lies nach auf **S. 15**.
- Mit welchen anderen Geräten wird das All erforscht? Lies nach auf **S. 16–17**.
- Was ist es für ein Gefühl, auf dem Mond zu stehen? Lies nach auf **S. 26**.
- Wird der Mensch jemals zum Mars fliegen? Lies nach auf **S. 32**.

Belka und Strelka, zwei russische Hunde, waren die ersten Tiere, die im August 1960 die Erde umrundeten und auch heil zurückkehrten. Sie flogen an Bord von Korabl-Sputnik 2.

INSIDESTORY

Flug ins All

„Der Start der Raumfähre ist ganz anders als alles, was ich je erlebt habe", erzählt Kommandantin Eileen Collins. „Man sieht Rauch beim Start, dann helle Lichtblitze. Man hört Feuer. Man riecht elektrische Teile und trockene Luft. Man fühlt seinen schmerzenden Rücken, nachdem man 4 Stunden während des Countdowns senkrecht gelegen hat. Dann wird man beim Aufstieg immer schneller in den Raum getragen. Das Atmen fällt schwer. Greifen und Bewegen fällt schwer. Doch plötzlich bricht die Beschleunigung ab, und man ist schwerelos."

Mit einer Geschwindigkeit von 28000 km/h umkreist die Raumfähre alle 90 Minuten die Erde.

Beim Rückflug zur Erde mit 25-facher Schallgeschwindigkeit werden die Oberfläche der Raumfähre und die umgebende Luft rot glühend. Die dichter werdende Atmosphäre verlangsamt den Raumtransporter auf Flugzeuggeschwindigkeit.

Die Raumfähre gleitet auf ihren Tragflächen durch die Erdatmosphäre. Über der Landebahn fährt sie das Fahrwerk aus und ist wenig später gelandet.

SPOT, Erdbeobachtungssatellit

Meteosat, Wettersatellit

Arbeiten im All

Astronauten in Raumfähren führen lange, komplizierte Versuche durch, testen, wie die Schwerelosigkeit auf Menschen wirkt und wie Materialien wie ultrareine Kristalle oder Medikamente hergestellt werden können. Sie setzen Satelliten für die Beobachtung der Erde, der Sonne oder der Sterne aus. Auch außerhalb des Raumschiffs wird gearbeitet – um Satelliten zu reparieren oder Raumstationen zusammenzubauen. Flüge in einer Raumfähre dauern nur ein oder zwei Wochen, aber in einer Raumstation können Kosmonauten und Astronauten Monate verbringen. Hier führen sie längere Versuche durch. Das Leben an Bord einer Raumstation kann anstrengend sein – die Schwerelosigkeit verändert die Blutzusammensetzung, Muskeln und Knochen. Bewohner von Raumstationen müssen täglich stundenlang trainieren, damit sie körperlich fit bleiben. Im Raum arbeiten auch Hunderte von Satelliten. Einige wurden von Raumfähren ins All gebracht, andere hoben mit Raketen ab. Satelliten übertragen Fernsehbilder rund um die Welt, leiten Schiffe durch die Ozeane oder liefern Daten für Wettervorhersagen.

Ein Raumanzug ist ein Miniaturraumschiff. Tanks im Rucksack liefern Sauerstoff zum Atmen. Schichten aus Kevlar, Teflon und Dacron isolieren den Astronauten gegen die extremen Temperaturen – plus 120 °C in der Sonne und –156 °C im Schatten. Der Anzug schützt vor der Sonnenstrahlung und vor Staubteilchen. Durch Rohre in der Unterkleidung gepumptes Wasser hält den schwer arbeitenden Astronauten kühl. Der Astronaut kann Wasser aus einem Behälter saugen, einen Imbiss kauen und über einen Helm mit Kopfhörern und Mikrofon mit den anderen Astronauten sprechen.

Manche Mahlzeiten in der Raumfähre sind Fertiggerichte, andere Trockennahrung – man braucht nur Wasser hinzuzufügen. Zum Frühstück gibt es Orangensaft, Rühreier und Brot; mittags Suppe, Sandwich, Banane und Kekse; abends Beefsteak, Brokkoli, Pudding und Kakao. Hier schnappt Michael Baker nach einem frei schwebenden Sandwich.

Iridium, Telekommunikationssatellit

GPS, Navigationssatellit

ISO, Astronomie-Satellit

WÖRTERBUCH

Astronauten fühlen sich im **FREIEN FALL** zur Erdoberfläche gewichtslos. Alles, was aus großer Höhe herabfällt, fühlt sich gewichtslos – für ein paar Sekunden –, bis es auf dem Boden aufschlägt! Doch Objekte im Weltall sind so hoch und so schnell, dass sie nie auf die Erde fallen. Sie empfinden Schwerelosigkeit.

SCHON GEWUSST?

Bei Gewichtslosigkeit dehnen sich die Wirbel des Rückgrats – Astronauten werden beim Raumflug 2,5–5 cm größer. Wenn sie zur Erde zurückkehren, schrumpfen sie wieder auf ihre normale Größe.

Weltraum-Toiletten spülen mit Luft statt mit Wasser. Man sitzt auf ihnen wie auf Staubsaugern.

WEGWEISER

- Warum besuchen Astronauten das Hubble-Teleskop? Lies nach auf **S. 11**.
- Wie kommen Astronauten ins Weltall? Lies nach auf **S. 12–13**.
- Was würde man als erster Astronaut auf Mars erleben? Lies nach auf **S. 32**.
- Satelliten erforschen die Entstehung des Universums. Lies nach auf **S. 60**.

Die Internationale Raumstation (ISS) hat die Raumstation Mir ersetzt. Bei 45 Besuchen von US-amerikanischen Raumfähren und russischen Proton-Raketen wurde sie nach und nach im All zusammengebaut. Die Raumstation ist so groß wie ein Fußballfeld. Astronauten und Wissenschaftler aus aller Welt besuchen sie.

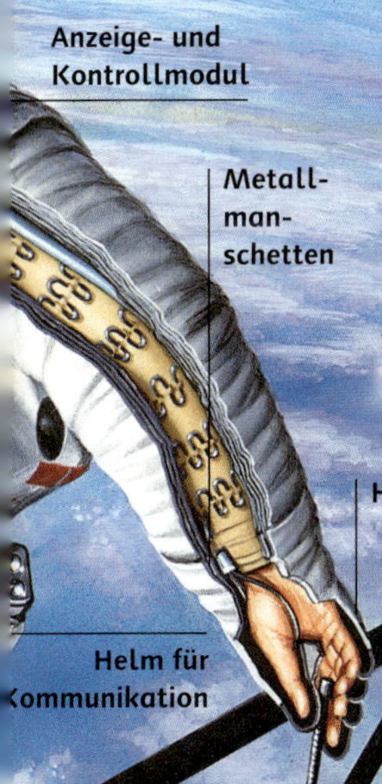

Im Mikrogravitationslabor der Raumfähre testeten Catherine Coleman und sechs andere Astronauten 1995 die Auswirkungen der Schwerelosigkeit auf verschiedene Materialien. 1998 führte der Astronaut John Glenn Experimente zur Erforschung des Alterungsprozesseses durch.

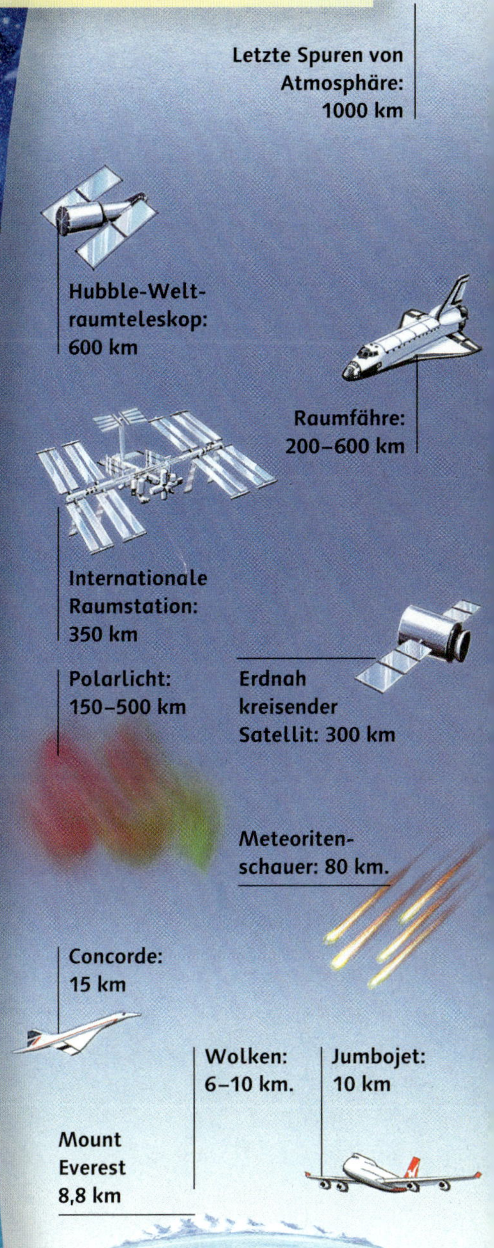

INSIDESTORY

Ein Tag im Weltraum

Der Australier Andrew Thomas verbrachte 1998 fünf Monate auf der russischen Raumstation Mir. „Obwohl wir die Sonne jeden Tag sechzehn Mal aufgehen sehen", sagte Thomas, „stehen wir um 8.30 Uhr Moskauer Zeit auf. Nach dem Frühstück führen wir Versuche durch. Gegen 19 Uhr gibt es Abendbrot. Gegen 23 Uhr gehen wir schlafen, in Säcken, die an der Wand festgebunden sind."

WO BEGINNT DAS ALL?

Zwischen Luft und Weltraum gibt es keine scharfe Grenze. Die Atmosphäre wird nur dünner, je höher man kommt. Auf dem Mount Everest ist die Luft so dünn, dass Bergsteiger Sauerstoffflaschen brauchen. Noch in 320 km Höhe gibt es ein paar Sauerstoff- und Stickstoffmoleküle. Der Luftwiderstand würde eine Raumstation abstürzen lassen, wenn sie nicht alle paar Monate einen Schub von ihren Raketen erhielte. Über 1000 km Höhe können Satelliten im total luftfreien Raum viele Jahre in ihrer Umlaufbahn bleiben.

Pioneer bei Jupiter, 1974

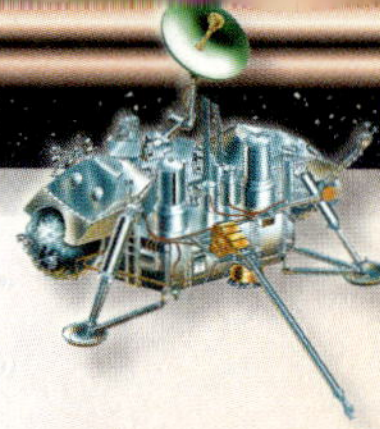

Viking bei Mars, 1976

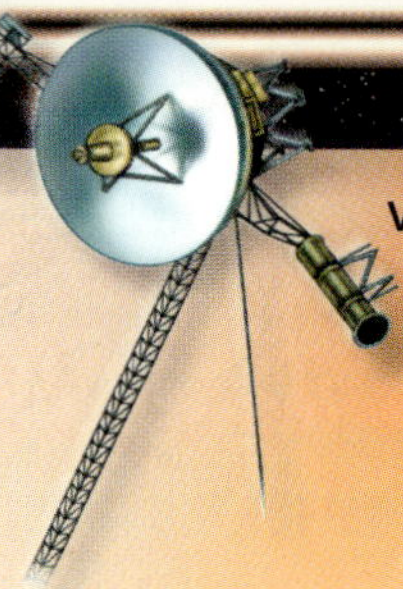

Voyager bei den Riesenplaneten, 1979–1989

Robotersonden

Die meisten Planeten, Kometen und Asteroiden sind sehr weit entfernt. Um sie zu erkunden, werden ferngesteuerte Robotersonden dorthin geschickt.
Fast all unser Wissen von den Planeten stammt von diesen Robotern, die in den 1960er-Jahren erstmalig Venus und Mars besuchten. Manche Sonden umkreisen einen Planeten – wie Magellan die Venus. Ein paar, wie die Jupiter-Sonde Galileo, treten in die Atmosphäre des Planeten ein, während Sonden wie Mars Pathfinder sogar auf dem Planeten landen. Andere fliegen am Planeten vorbei – Voyager erforschte Jupiter, Saturn, Uranus und Neptun im Vorbeiflug. Wenn Sonden an einem Planeten vorbeischießen, werden sie durch seine Anziehungskraft beschleunigt und können zu einem noch weiter entfernten Planeten weiterfliegen. Mit dieser Katapultmethode wurden Sonden zu jedem Planeten des Sonnensystems mit Ausnahme des kleinen Pluto gesandt.
Bisher ist keine der Sonden zur Erde zurückgekehrt. Stattdessen übermitteln sie digitale Bilder und Daten als Radiowellen, und die Signale werden von riesigen Teleskopen empfangen. In Zukunft aber werden Sonden Proben von Mars, Kometen und Asteroiden zur Erde zurückbringen.

Im Juli 1997 rollte das erste Geländefahrzeug, das je einen anderen Planeten besuchte, auf die Marsoberfläche. Der Sojourner genannte Rover erkundete mit Kameras und einer zylindrischen „Schnüffelnase“ Gesteine aus der Nähe und fand Beweise dafür, dass vor Milliarden Jahren Wasser über den Mars geströmt sein muss. Drei Monate später endete die Sojourner-Mission, als der Pathfinder-Lander, der den Rover fernsteuerte, zu sehr abkühlte und seinen Betrieb einstellte.

SEI AKTIV!

Im Netz surfen

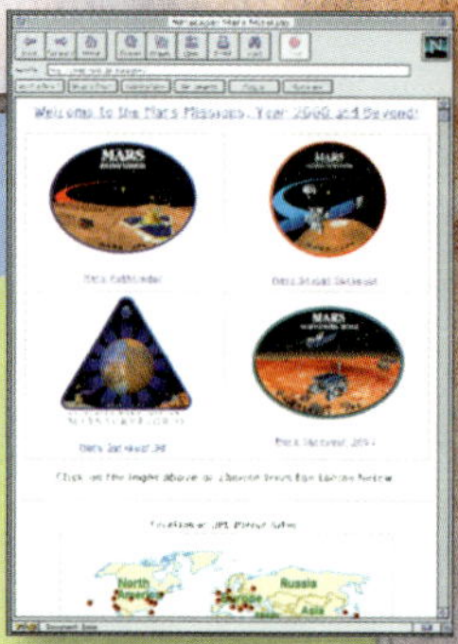

Wer sich über Planetenmissionen auf dem Laufenden halten will, sollte im Internet nach den neuesten Informationen suchen, wo er auch Bilder von Robotersonden und den von ihnen besuchten Planeten findet. Eine gute Website ist das Jet Propulsion Laboratory der NASA: www.jpl.nasa.gov. Von hier bringen dich Links zu früheren Missionen wie Magellan (Venus) und Mars Pathfinder; zu Missionen wie Cassini (Saturn) und Galileo (Jupiter); und zu geplanten Missionen wie Pluto-Kuiper Express und Stardust (Kometen). Als das Robotfahrzeug Sojourner Mars 1997 besuchte, wurden seine Bilder sofort ins Internet gestellt. Auf der NASA-Website wurden an einem Tag 47 Millionen Zugriffe verzeichnet – es war das weltweit bisher größte Internet-Ereignis.

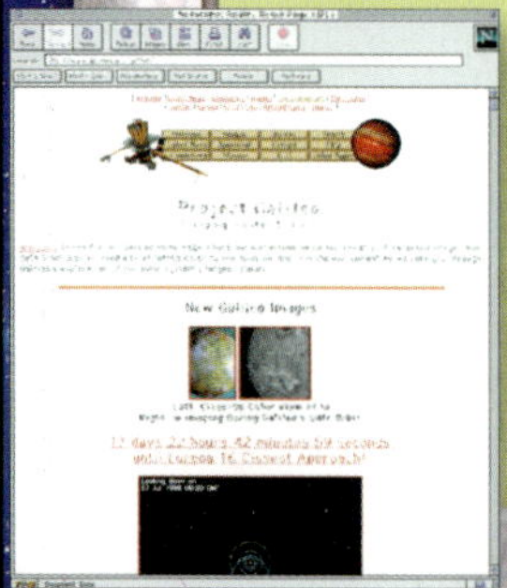

Magellan bei Venus, 1989–1993

Galileo bei Jupiter, 1995–1999

WÖRTERBUCH

Raumsonden werden sehr unterschiedlich benannt. **GALILEO**, **CASSINI** und **HUYGENS** sind nach Astronomen benannt. Andere Sondennamen, wie **ULYSSES**, stammen aus der Mythologie. **MAGELLAN** ist nach einem Entdecker benannt; **GIOTTO** nach einem Maler, der den Kometen Halley beschrieb.

SCHON GEWUSST?

Pioneer 10 ist auf dem Weg zum 65 Lichtjahre von der Erde entfernten Stern Aldebaran. Die Sonde wird 2 Millionen Jahre unterwegs sein.

Die Sonde Mars-Observer explodierte bei ihrer Annäherung an Mars 1993. Sie hatte nur ein einziges Bild gemacht.

WEGWEISER

- Wie sah Magellan durch die Venus-Wolken? Lies nach auf **S. 30–31**.
- Was ist ein Nanorover und wohin wird er fliegen? Lies nach auf **S. 34–35**.
- Welche Botschaften führen die beiden Voyager-Sonden mit sich? Lies auf **S. 41**.
- Wann wird eine Sonde zum Pluto fliegen? Lies nach auf **S. 42–43**.
- Wie wird eine Sonde Kometenstaub sammeln? Lies nach auf **S. 44–45**.

Nach dem Ende der Mars-Pathfinder-Mission schwenkte 1997 Global Surveyor in eine marsnahe Umlaufbahn ein.

Beim Bau einer Raumsonde sind Hunderte von Menschen beschäftigt. Ist die Robotersonde erst einmal auf dem Flug, können Astronauten sie nicht mehr erreichen, darum müssen alle ihre Teile jahrelang ohne Reparatur funktionieren. Die hier abgebildete europäische Sonde Ulysses wurde 1990 gestartet und soll die Polarregionen der Sonne erforschen.

SATURNS MOND TITAN

Die Raumsonde Cassini startete den Flug zum Saturn 1997 und erreichte ihn am 1. Juli 2004. Huckepack flog die Sonde Huygens mit, die sich abkoppelte und landete.

Am 6. November 2004 hat sich die Huygens-Sonde von Cassini abgekoppelt. Ihr Ziel war Titan, der größte Mond des Saturns.

Drei Wochen später tauchte Huygens in Titans dicke Atmosphäre mit einer Geschwindigkeit von 20000 km/h ein.

Nachdem Huygens auf 1400 km/h verlangsamt hat, öffnete sich ein kleiner Fallschirm.

Ein großer Fallschirm verlangsamte Huygens noch weiter. 15 Minuten später wurde er abgetrennt.

Das letzte Stück Abstieg an einem kleinen Fallschirm dauerte zwei Stunden. Huygens Kameras fotografierten die Oberfläche.

Huygens landete und sendete einige Fotos, überlebte aber nur kurze Zeit.

INSIDESTORY

Planetenforscher

„Zu unsereren Lebzeiten haben wir das Sonnensystem durchquert", schrieb Carl Sagan. Bekannt geworden durch Bücher und Fernsehsendungen, in denen er einem Millionenpublikum das Weltall erklärte, hatte Carl Sagan auch an der Planung vieler planetarischer Missionen Anteil. Die Bedeutung von Robotersonden beschrieb er so: „Diese Raumfahrzeuge haben uns die Wunder anderer Welten und die Einzigartigkeit der unseren gezeigt. Mit ihnen kamen wir fast überallhin in unserem Sonnensystem. Sie sind die Schiffe, die als Erste erforschten, was vielleicht einmal die Heimat unserer Nachkommen sein wird." Der Mars Pathfinder Lander heißt heute „Sagan Memorial Station".

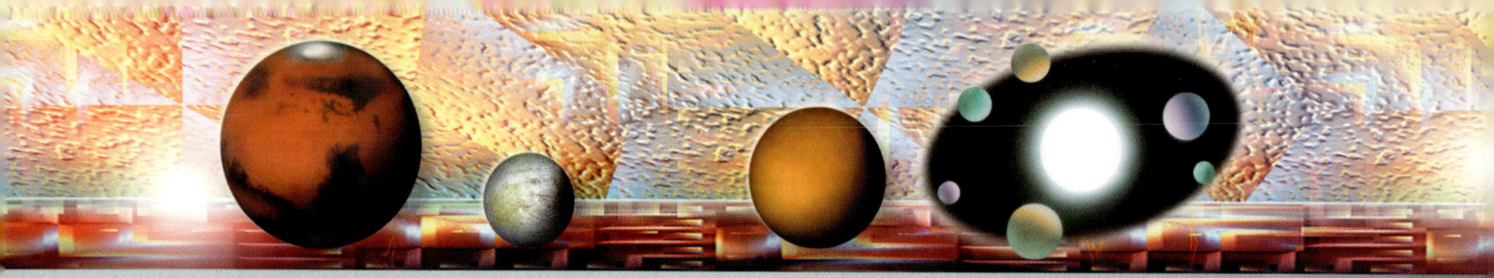

Leben könnte es geben ... im Marsboden ... in Europas Ozean ... ... unter Titans Wolken ... ... in anderen Sonnensystemen

Die Suche nach Leben

Leben finden wir überall auf der Erde, selbst an so unwahrscheinlichen Orten wie tiefen Ölbohrungen, kochend heißen Teichen und antarktischen Gesteinen. Hat sich das Leben auch an die extremen Bedingungen auf anderen Planeten angepasst?

Alles uns bekannte Leben braucht Wasser. Mars besaß vor Jahrmilliarden wasserreiche Ozeane. Vielleicht begann dort Leben, starb aber aus. Einer der Jupitermonde, Europa, könnte Wasser unter seiner Eiskruste haben. Und Titan, ein umwölkter Saturnmond, ist reich an Kohlenstoffverbindungen, aus denen sich das irdische Leben entwickelte.

In neuerer Zeit haben Astronomen Dutzende von Planeten entdeckt, die andere Sterne umkreisen. Anders als die Erde sind sie alle riesige Welten wie Jupiter, wo Leben unwahrscheinlich ist. Aber vielleicht entdecken Astronomen eines Tages erdähnliche Planeten.

Nach Ansicht mancher Astronomen könnte unsere Milchstraße eine Million andere Zivilisationen beherbergen. Vielleicht gelingt es irgendwann, die Existenz von Außerirdischen nachzuweisen.

INSIDESTORY

Marsianer gesichtet

Vor rund hundert Jahren war sich Percival Lowell sicher, dass es Marsianer gab. „Das Teleskop zeigt uns die womöglich aufregendste Endeckung unserer Zeit – die Kanäle des Mars", schrieb er. Lowell hatte kreuz und quer verlaufende Linien auf Mars gesichtet und hielt sie für das Werk intelligenter Wesen. „Was wir sehen, deutet auf die Existenz von Wesen, die uns in der Reise des Lebens sogar voraus sind." Doch es waren keine Kanäle, sondern optische Täuschungen. Obwohl Lowell sich geirrt hatte, weckten seine Ideen ein Interesse an Mars, das bis heute lebendig ist.

AUSSERIRDISCHE
Vielleicht sehen Außerirdische so aus – oder auch ganz anders.

Könnten weiterentwickelte Dinosaurier auf erdähnlichen Planeten leben? Manch ein Wissenschaftler glaubt, dass sich die Dinosaurier, wären sie nicht ausgestorben, zu intelligenten Lebewesen entwickelt hätten.

Manch ein Gasriese unter den Planeten könnte von solchen Wesen bevölkert sein, die wie Fische in der dichten Atmosphäre schwimmen.

WÖRTERBUCH

In der Weltraumforschung werden viele Abkürzungen für längere Bezeichnungen benutzt.

Die Abkürzung **SETI** steht für „Search for Extraterrestrial Intelligence" (Suche nach außerirdischer Intelligenz).

Extraterrestrisch, abgekürzt **ET**, heißt „außerhalb der Erde".

Die Abkürzung **UFO** steht für „Unidentifizierte Flugobjekte".

SCHON GEWUSST?

Astronomen schickten 1974 mit dem Arecibo-Radioteleskop eine Botschaft an M13, einem Sternenhaufen, der so weit entfernt ist, dass wir, wenn Außerdische dort unsere Botschaft erhielten, die Antwort nicht vor dem Jahr 44 000 n. Chr. bekämen.

Noch 1965 glaubten die Menschen, dass auf Mars Wasserkanäle existieren könnten.

WEGWEISER

- Wozu benutzen wir Radioteleskope sonst noch? Lies nach auf **S. 10–11**.
- Wie gelangte ein Meteorit vom Mars auf die Erde? Lies nach auf **S. 33**.
- Welche Sonden haben den Jupitermond Europa erforscht? Lies nach auf **S. 37**.
- Wer entdeckte Planeten bei anderen Sternen? Lies nach auf **S. 51**.

Forscher des Projekts Phoenix und anderer SETI-Programme lauschen überall auf der Welt mit Radioteleskopen nach Signalen von außerirdischen Zivilisationen. Würde solch ein Signal ausgemacht, wäre dies die größte Entdeckung aller Zeiten – doch wären wir in der Lage, es zu verstehen?

Ist dies eine marsianische Lebensform? Ein Team von Wissenschaftlern verkündete 1996, dass es versteinerte Bakterien in einem Meteoriten vom Mars gefunden habe. Andere Wissenschaftler haben Zweifel und glauben, dass der Fund anders zu erklären ist.

Eine rissige Eisschicht bedeckt Europa, einen der Jupitermonde. Darunter könnte ein Ozean liegen, der aus vulkanischen Schloten erwärmt wird. An den tiefsten Stellen der irdischen Ozeane leben seltsame Würmer, blinde Fische und wärmeliebende Bakterien in der Nähe vulkanischer Schlote. Könnte auch Europa Leben in seinem dunklen Ozean bergen? Mit einer U-Boot-ähnlichen Sonde plant man dies herauszufinden.

SEI AKTIV!

Bau einen Titaniten

Erschaffe einen Außerirdischen, der auf Titan leben könnte, einem der Monde von Saturn. Dazu kannst du Modellierton oder Dinge, die du zu Hause findest, wie alte Kartons, Folie und Strohhalme, nehmen. Überlege dir, was der Titanite isst, wie er sich bewegt, wie er sich vor Räubern schützt, wie er mit der Temperatur fertig wird und wie er atmet, sieht und hört. Titan ist so:

- Titan ist extrem kalt – etwa –178 °C.
- Titan hat eine dichte Wolkendecke und eine Stickstoffatmosphäre, die keinerlei Sauerstoff enthält.
- Die Oberfläche ist vermutlich felsig, vereist und von Kratern übersät.
- Fast alles Wasser auf Titan ist gefroren, aber vielleicht gibt es dort Seen aus dickflüssigem, rotbraunem Methan sowie Wolken, Regen und Schnee aus Methan.

Auf wenig massereichen Planeten mit geringer Schwerkraft könnten Lebensformen Giraffen ähneln, hoch und dünn. Wie wir würden intelligente Außerirdische wohl zwei Arme und Beine haben, weil diese Körperform praktisch ist.

Die Schwerkraft auf massereichen Großplaneten ist hoch. Lebewesen wären dort abgeflacht und bewegten sich langsam auf dicken Beinen, die ihr schweres Gewicht trügen.

Unser Sonnensystem

Nun beginnt die Reise durch unsere nähere kosmische Umgebung. Du wirst dort die Nachbarn der Erde finden – die anderen Planeten, ihre Monde und die Asteroiden und Kometen. Sie alle kreisen um den uns nächsten Stern, die Sonne. Zuerst fliegst du zu etwas sehr Bekanntem – unserer Erde und ihrem Mond. Dann saust du weiter ins Zentrum unseres Sonnensystems und besuchst die lodernde Sonne. Halt dich gut fest. Weiter geht es zu den erdnahen Gesteinsplaneten, zum Asteroidengürtel und zu den fernen Gasriesen. Die Tour endet bei Pluto und den Kometen in den kalten, dunklen Randgebieten des Sonnensystems.

Seite **22**
Wie groß ist die Sonne im Vergleich zu diesen Planeten? Lies nach bei **Sonnenfamilie**.

Seite **24**
Wann lebten die Dinosaurier? Lies nach bei **Unser Planet Erde**.

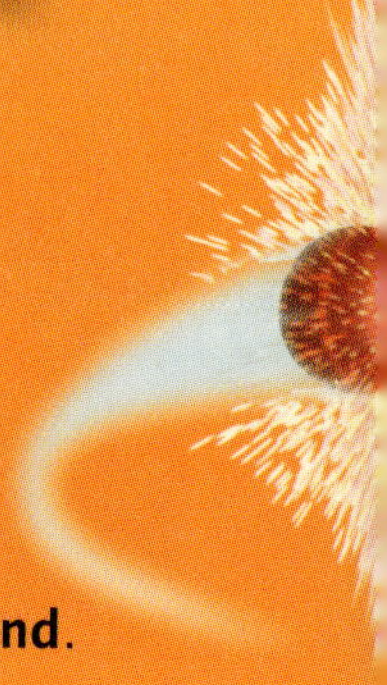

Seite **26**
Zu diesem gewaltigen Zusammenstoß kam es vor 4 Milliarden Jahren. Was geschah danach? Lies nach bei **Unser Mond**.

Seite **28**
Was zeigt das Foto von der Sonne? Lies nach bei **Die Sonne**.

Seite **30**
Wie kartierten Wissenschaftler die wolkenverhangene Venus? Lies nach bei **Merkur und Venus**.

Seite **32**

Einst glaubte man, diese Wesen würden einen Planeten angreifen. Welchen Planeten?
Lies nach bei **Mars**.

Seite **34**

Wie kann ein Asteroid den irdischen Himmel verdunkeln?
Lies nach bei **Weltraumreisende**.

Seite **36**

Was schlug 1994 auf dem Planeten Jupiter ein?
Lies nach bei **Jupiter**.

Seite **38**

Warum gibt es in der Nähe dieses Planeten so viele Gesteinsbrocken? Was geschah mit ihnen?
Lies nach bei **Saturn**.

Seite **40**

Welche Botschaften enthält diese Scheibe? Wer könnte sie lesen?
Lies nach bei **Uranus und Neptun**.

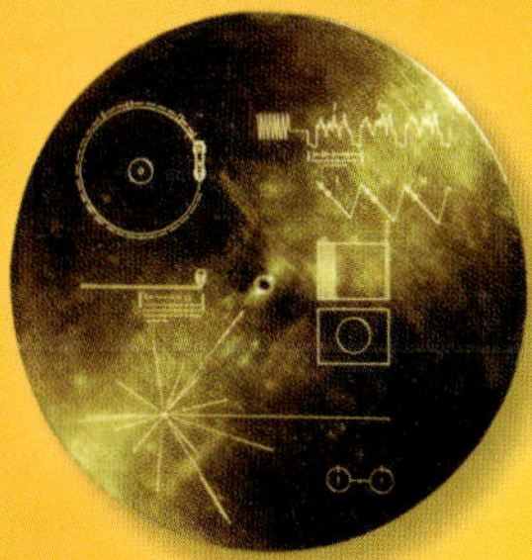

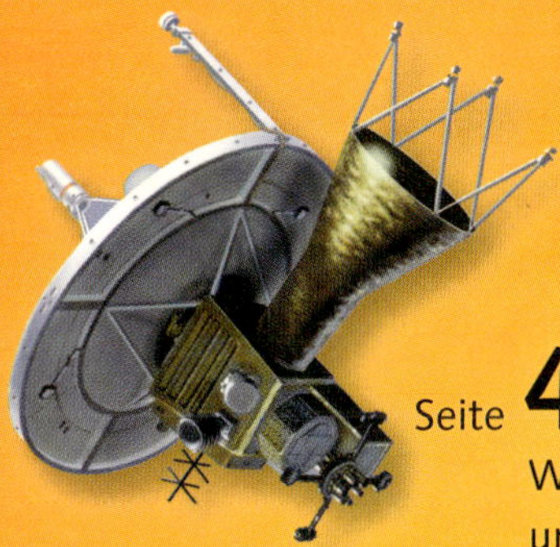

Seite **42**

Wie groß ist das Raumschiff, das Pluto und seinen Mond Charon besuchen wird?
Lies nach bei **Pluto und dahinter**.

Seite **44**

Dieser Komet weist zwei Schweife auf einen blauen und einen gelblichen. Woraus bestehen die Schweife?
Lies nach bei **Kometen**.

Erdmond

Phobos, Marsmond

Io, Jupitermond

Mimas, Saturnmond

Die Sonnenfamilie

Die Erde gehört zu einer kosmischen Familie, dem Sonnensystem. Die Sonne führt diese Ansammlung von acht Planeten, Dutzenden von Monden und zahllosen Asteroiden und Kometen an. Am größten und bekanntesten sind die Planeten. Fünf Planeten kannst du mit bloßen Augen am Nachthimmel sehen: Merkur, Venus, Mars, Jupiter und Saturn. Die beiden anderen – Uranus und Neptun – sind so weit von der Sonne entfernt, dass du ein Fernglas oder sogar ein Teleskop brauchst, um sie zu sehen. Pluto, bisher der neunte Planet, wurde zum Zwergplanet heruntergestuft.

Sieben Planeten haben Monde. Die Erde hat einen Mond, Saturn hat insgesamt 18. Nur Merkur und Venus umkreisen die Sonne ohne Monde.

Zum Sonnensystem gehören Tausende von Kleinplaneten, sogenannte Asteroiden, die zwischen Mars und Jupiter ihre Bahn ziehen. Am Rande des Sonnensystems gibt es Millionen Eisbrocken. Wenn einer davon der Sonne zu nahe kommt, sehen wir ihn als Kometen mit einem glühenden Schweif aufs Gas und Staub.

INSIDESTORY

Neue Erkenntnisse

Im Jahr 1543 glaubte man, die Erde sei das Zentrum des Sonnensystems. Aber du behauptest: „Die Sonne steht im Mittelpunkt der Planeten, die Erde und die anderen Planeten kreisen um die Sonne." Deine Theorie rückt die Erde aus dem Zentrum des Kosmos. Du weißt, dass die Leute diese Vorstellung nicht mögen werden. Sie werden dich vielleicht sogar einkerkern. Was machst du? Der Astronom Nikolaus Kopernikus stand vor über 450 Jahren vor dieser Frage. Um Ärger zu entgehen, wartete er mit der Veröffentlichung seiner Theorie bis zu seinem Tode. Fast 100 Jahre vergingen, ehe man seine Ideen akzeptierte.

Die Gravitation, die Anziehungskraft der Sonne, hält die Planeten, Kometen und Asteroiden auf ihren Umlaufbahnen. Die Bahnen sind Ellipsen, also abgeflachte Kreise. Bei ihrem Umlauf um die Sonne drehen sich die Planeten wie Kreisel. Eine Umrundung der Sonne ist ein Planetenjahr. Ein Planetentag ist die Zeit, in welcher der Planet sich einmal um sich selbst dreht. Das Erdjahr dauert rund 365 Tage, der sonnennahe Merkur umläuft die Sonne in nur 88 Tagen.

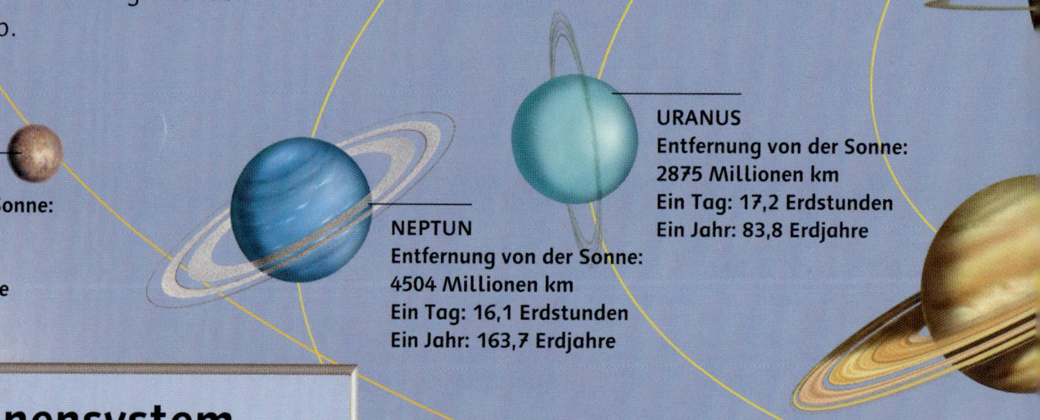

PLUTO
Entfernung von der Sonne: 5916 Millionen km
Ein Tag: 6,4 Erdtage
Ein Jahr: 248 Erdjahre

NEPTUN
Entfernung von der Sonne: 4504 Millionen km
Ein Tag: 16,1 Erdstunden
Ein Jahr: 163,7 Erdjahre

URANUS
Entfernung von der Sonne: 2875 Millionen km
Ein Tag: 17,2 Erdstunden
Ein Jahr: 83,8 Erdjahre

SEI AKTIV!

Das Sonnensystem

Mit einem Pfefferkorn, zwei Erbsen, zwei kleinen Murmeln, zwei Limonen, einer Orange, einer Grapefruit und einem Strandball kannst du dir ein Modell des Sonnensystems bauen.

Lege den Strandball auf einen Gehweg. Der Ball soll die Sonne sein. Mach einen Schritt und lege eine Erbse als Merkur hin. Mach noch einen Schritt und nimm eine Murmel für Venus, dann einen halben Schritt und noch eine Murmel für die Erde. Lege nur anderthalb Schritte nach der Erde eine Erbse für Mars hin. Mach dann 9 Schritte, bevor du die Grapefruit für Jupiter hinlegst. Nimm elf Schritte nach Jupiter die Orange für Saturn. Nach 24 weiteren Schritten lege eine Limone für Uranus hin und 27 Schritte danach die andere Limone für Neptun. Nimm noch ein Pfefferkorn für den kleinen Pluto, 24 Schritte nach Neptun – und 99 Schritte vom Strandball Sonne entfernt. Das Sonnensystem ist groß! Wäre Pluto wirklich nur 99 Schritte von der Sonne weg, wäre die Sonne nicht größer als eine Murmel, und alle Planeten wären winzige Fleckchen.

Es gibt zwei Arten von Planeten. Riesen wie Jupiter, Saturn, Uranus und Neptun sind sonnenferne Gasbälle. Merkur, Venus, Mars und unsere Erde sind kleine, sonnennahe Gesteinsplaneten. Pluto, der kleinste Planet, passt nicht dazu. Er ist eine winzige Eiswelt am Rande des Sonnensystems. Im Größenvergleich rechts ist der Durchmesser jedes Planeten angegeben. Du kannst sehen, dass selbst Jupiter, der größte Planet, neben der Sonne klein ist.

Miranda, Uranusmond

Triton, Neptunmond

WÖRTERBUCH

Die Römer stellten sich die Sonne als Gott vor, der jeden Tag von Ost nach West über den Himmel fährt. Sein Name war **SOL**. Davon leitet sich das Wort **SOLAR** für zur Sonne gehörend ab.

SCHON GEWUSST?

Halt dich fest! Du schießt mit einer Geschwindigkeit von mehr als 100000 km/h durchs All. Das ist die Geschwindigkeit, mit der die Erde die Sonne umkreist.

Du kannst 1400 Erden in Jupiter und 900 Jupiter in die Sonne hineinpacken.

WEGWEISER

- Wo befindet sich das Sonnensystem im Universum? Lies nach auf **S. 8–9** und **56–57**.
- Gibt es noch andere Sonnensysteme? Lies nach auf **S. 50–51**.
- Wie ist das übrige Universum entstanden? Lies nach auf **S. 60–61**.

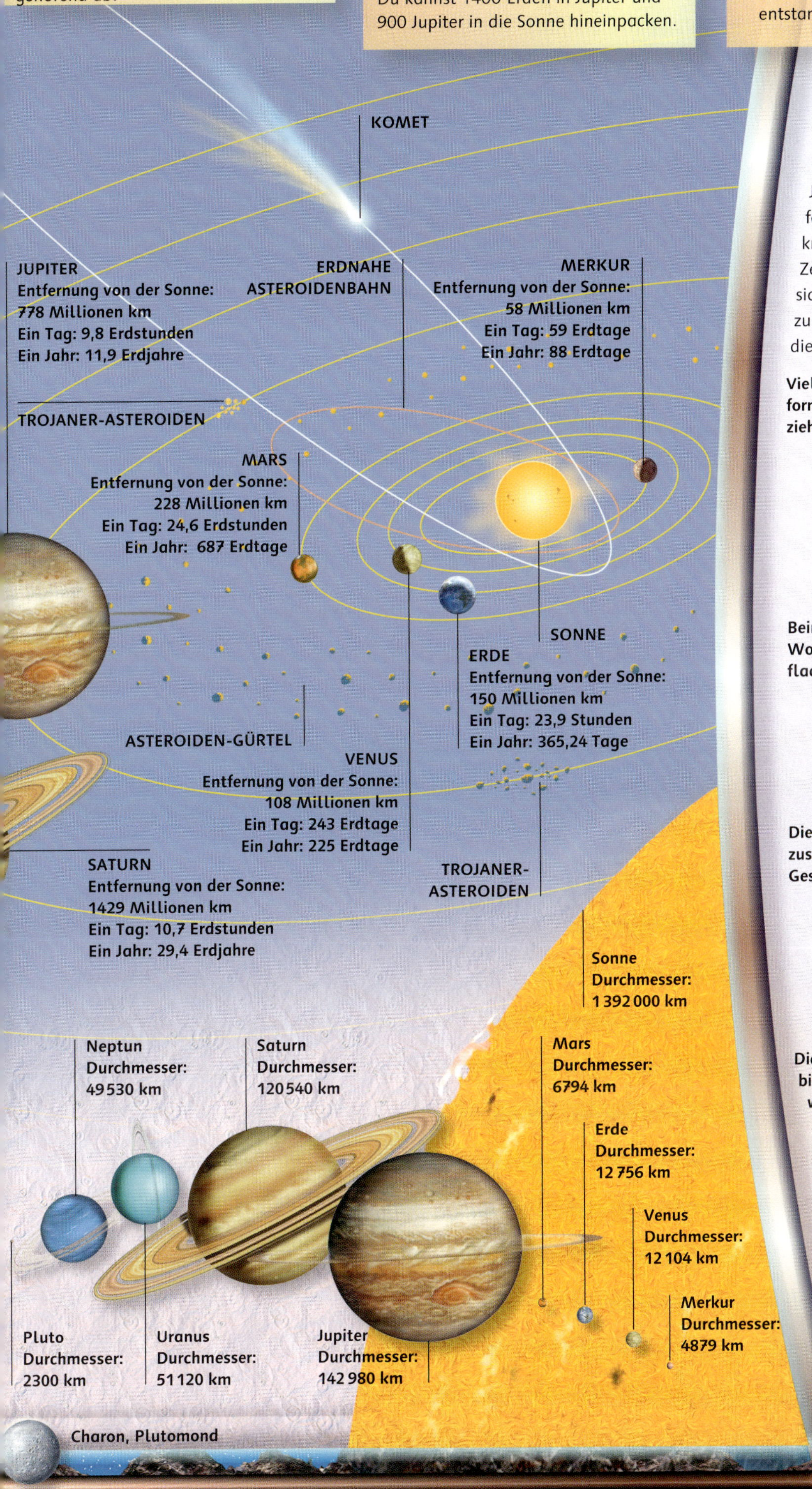

GEBURT DER PLANETEN

Das Sonnensystem ist aus einer wirbelnden Gas- und Staubwolke entstanden. Vor rund fünf Milliarden Jahren begann die Wolke zu schrumpfen. Unter dem Einfluss der Schwerkraft sank die meiste Materie bis ins Zentrum der Wolke. Gase sammelten sich dort an, erhitzten sich und wurden zur Sonne. Die restliche Materie bildete die Planeten. Das spielte sich so ab:

Vielleicht explodiert ein naher Stern und formt die Wolke wie einen Schneeball. Sie zieht sich zusammen und bildet die Sonne.

Beim Zusammenziehen dreht sich die Wolke immer schneller. Sie wird zu einer flachen Scheibe um die neue Sonne.

Die Staubkörnchen in der Scheibe backen zusammen und bilden Milliarden von Gesteinsbrocken.

Diese Brocken prallen aneinander und bilden Tausende von Objekten, so groß wie kleine Planeten.

Die Kleinplaneten stoßen weitere Jahrmillionen zusammen, bis nur noch wenige übrig sind. Das sind unsere Planeten, darunter auch der rätselhafte Pluto.

Sumerische Erdgöttin

Vor 200 Jahrmillionen

Vor 90 Jahrmillionen

heute

Unser Planet Erde

Wie die anderen Planeten kreist die Erde um die Sonne. Auch sie dreht sich um ihre Achse. Aber die Erde ist der einzige Planet im Sonnensystem, auf dem es Leben gibt. Auf den sonnennäheren Planeten ist es zu heiß für irgendwelches Leben. Die sonnenferneren sind zu kalt. Manche Planeten besitzen eine giftige oder gar keine Atmosphäre. Und einige, wie Jupiter und Saturn, haben keine feste Oberfläche. Nur auf der Erde kann man atmen, den blauen Himmel sehen, in Wasser baden oder Äpfel pflücken. Die Erde verändert ständig ihr Gesicht. Sie ist ein Gesteinsplanet wie Merkur, Venus und Mars, aber sie ist viel aktiver. Die Hitze aus dem Erdinnern lässt Vulkane ausbrechen, die Erde erbeben und die Kontinente langsam ihre Lage verändern, während Wind, Regen und Ozeanwellen ganz allmählich die Landschaft umformen.

Bei diesem Blick aus der Ladebucht des Spaceshuttle weist die Heckflosse auf unseren Planeten, der wie eine große, wunderschöne Kugel im Weltall schwebt. Blau sind die Ozeane mit Wellen und Meeresströmungen. Das Weiße sind Wolken. Die roten, braunen und grünen Flächen sind die Wüsten, Ebenen, Wälder und Städte unseres Planeten.

Erde von innen

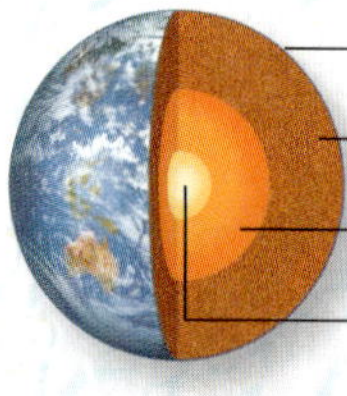

SEI AKTIV!

Schatten verfolgen

Während die Sonne über den Himmel zu wandern scheint, verändern sich die Schatten. Daran kannst du erkennen, dass die Erde sich dreht und sogar die Uhrzeit angeben.

1. Stecke an einem sonnigen Tag einen Stab in den Boden.
2. Markiere jede Stunde mit einem Eisstiel, wohin der Schatten fällt. Schreibe die Uhrzeit auf den Stiel.
3. Mit mehreren Eisstielen erhältst du eine Sonnenuhr. Am Schatten des Stabes kannst du fast die ganze nächste Woche über die Uhrzeit ablesen.

Vor 4,6 bis 4 Milliarden Jahren prasseln Asteroiden und Kometen auf die junge Erde nieder. Ströme rot glühender Lava überziehen ihre Oberfläche. Gase aus Vulkanen bilden eine giftige Atmosphäre. Erste Ozeane entstehen und verdampfen schon bald. Leben ist unmöglich.

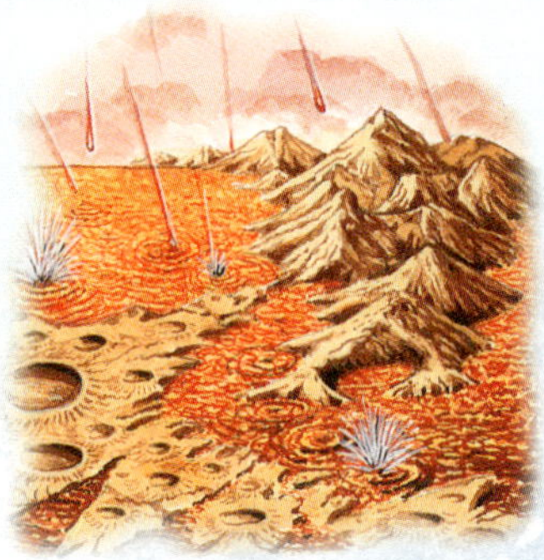
Asteroiden bombardieren die junge Erde.

Vor 3,8 Milliarden Jahren hören die Einschläge von Asteroiden und Kometen auf. Die Erde kühlt ab, und Ozeane entstehen. Das Wasser stammt von Eiskometen und aus vulkanischen Gasen, die zu Regen kondensieren. Chemische Stoffe verbinden sich in den Meeren zu Einzellern, dem ersten Leben. Später erzeugen einfache Pflanzen Sauerstoff.

Leben beginnt in frühen Ozeanen.

WÖRTERBUCH

Viele alte Völker benannten die Erde nach ihren Göttern des Erdreichs oder der Fruchtbarkeit. Das deutsche Wort **ERDE** kommt von dem althochdeutschen Wort erda, was „Land“ bedeutet. Doch da unser Planet zu zwei Dritteln von Wasser bedeckt ist, sollten wir ihn vielleicht lieber Planet Ozean nennen!

SCHON GEWUSST?

Vor drei Milliarden Jahren drehte sich die Erde viel schneller, und ihr Tag war 18 Stunden lang.

Wind und Regen haben die meisten Einschlagkrater auf der Erde abgetragen. Gebe es kein Wetter auf der Erde, hätte sie ebenso wie der Mond viele Krater.

WEGWEISER

- Der Start einer Raumfähre. Lies nach auf S. 12–13.
- Gibt es anderswo im Weltall Leben? Lies nach auf S. 18–19.
- War der Mond einst Teil der Erde? Lies nach auf S. 27.
- Welcher andere Planet ist der Erde am ähnlichsten? Lies nach auf S. 32–33.

Die Umdrehung oder Rotation der Erde alle 24 Stunden bringt uns Nacht und Tag. Willst du wissen, wie das mit der Rotation ist, dreh dich an einem Sonnentag um dich selbst. Zuerst bescheint die Sonne dein Gesicht. Dann rückt dein Gesicht in den Schatten. So ist es auch mit der Erde. Der Teil der Erde, wo du lebst, ist bei Tage der Sonne zugewandt. Wenn er sich von der Sonne wegdreht, wird es Nacht.

INSIDESTORY

Blick aus dem All

Der schönste Augenblick bei einem Flug ins All ist der Blick zurück auf den Heimatplaneten. „Es lässt sich kaum beschreiben, was für ein Erlebnis das ist“, sagte die Astronautin Kathy Sullivan nach ihrem Shuttleflug 1990. „Wenn man beim Start vorne sitzt, hat man sechs große Fenster, die eine wunderbare Aussicht auf die Erde bieten. Bei meinem zweiten Shuttleflug konnten wir vom Golf von Mexiko bis hinauf zu den Großen Seen blicken. Man sieht Flüsse, Städte, sogar Flughäfen. Nachts findet man nach den Lichtern der Städte seinen Heimatort, wenn man sich einigermaßen auskennt!“

Die Erdachse ist leicht geneigt. Sie zeigt nicht gerade nach oben oder nach unten im Weltraum. Für einen Teil des Jahres ist der Nordpol zur Sonne hin geneigt. Dadurch erhält die Nordhalbkugel mehr Sonne, es ist Sommer. Sechs Monate später, wenn die Erde ihre Bahn zur Hälfte zurückgelegt hat, zeigt der Südpol zur Sonne hin, sodass auf der Südhalbkugel Sommer ist.

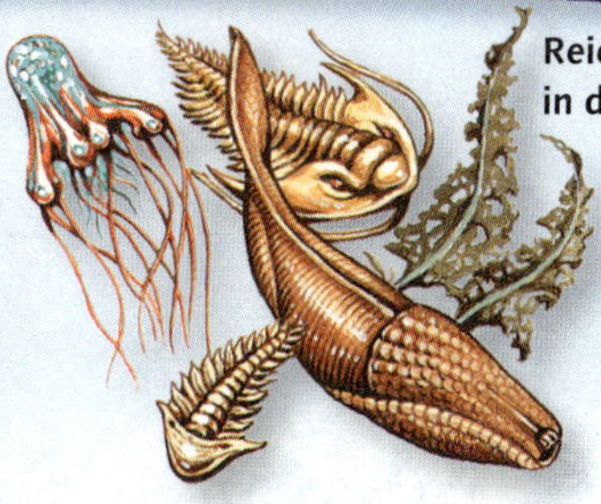

Reiches Leben in den Ozeanen.

Vor 550 Millionen Jahren entwickeln sich in den Ozeanen Hunderte von Pflanzen- und Tierarten. Die meisten sterben aus, doch einige dieser frühen Geschöpfe werden zu Fischen und Muscheln. Später entwicklen sich Amphibien und kriechen auf das feste Land.

Vor 228 Millionen Jahren laufen frühe Dinosaurier auf zwei Hinterbeinen. Sie entwickeln sich weiter und beherrschen 160 Millionen Jahre lang die Erde.

Erste Dinosaurier erscheinen.

Vor 200 000 Jahren sterben die Dinosaurier aus, und Säugetiere beherrschen nun die Erde. Die ersten Menschen treten auf.

Erste Menschen erscheinen.

Diana, römische Göttin der Jagd

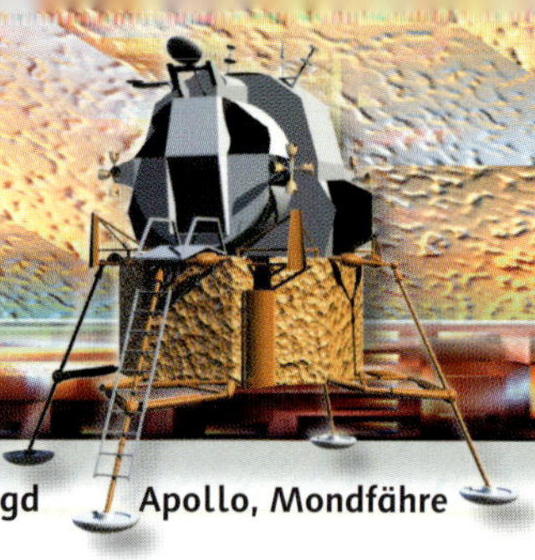

Apollo, Mondfähre

Unser Mond

Der Mond ist etwa ein Viertel so groß wie die Erde und hat nur ein Sechstel ihrer Schwerkraft. Auf dem Mond würdest du ein Sechstel weniger wiegen. Du könntest also sechsmal höher springen als auf der Erde und hüpfen wie ein Känguru.

Der Mond besitzt keine Atmosphäre. Es gibt keine Atemluft, kein flüssiges Wasser, keine Pflanzen, keinerlei Leben. In der Sonne ist es auf dem Mond so heiß wie kochendes Wasser (100 °C). Nachts sinkt die Temperatur auf –150 °C. Und Mondnächte dauern zwei Wochen.

Da es auf dem Mond weder Regen noch Wind gibt, kann man in Jahrmillionen noch die Fußstapfen der Astronauten sehen.

INSIDESTORY

Blick aus dem All

Der Mond ist die einzige der Welten außer der Erde, die Menschen je betreten haben. In sechs Apollo-Missionen von 1969 bis 1972 gingen 12 Astronauten auf der Mondoberfläche spazieren. Hier etwas von dem, was sie empfanden.

Neil Armstrong, Apollo 11: „Es ist von einer eigenartigen, spröden Schönheit."

Buzz Aldrin, Apollo 11: „Wunderbar öde Landschaft."

Alan Bean, Apollo 12: „Du kannst Luftsprünge machen!"

Pete Conrad, Apollo 12: „Juchhe! Einen Krater hinauf und den anderen hinunter. Sieht das so gut aus wie es ist?"

John Young, Apollo 16: „Oh, seht euch all die herrlichen Felsbrocken an!"

Charlie Duke, Apollo 16: „Donnerwetter! Dieser erste Schritt auf dem Mond ist einfach fantastisch!"

Mond von innen

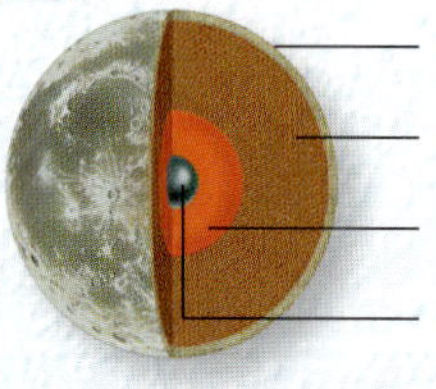

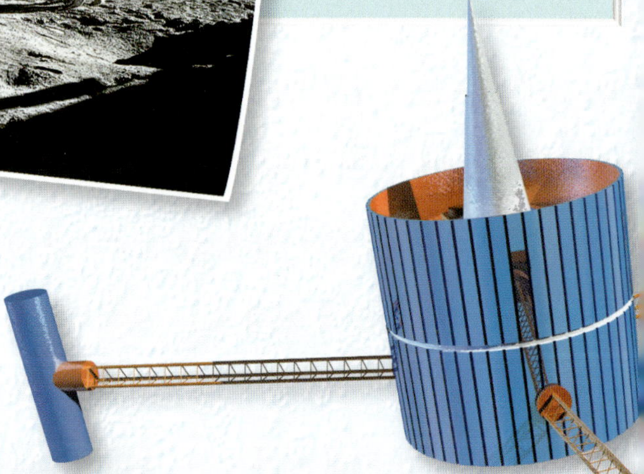

Die NASA brachte 1998 die kleine Raumsonde Lunar Prospector in eine Umlaufbahn um den Mond. Sie entdeckte an Nord- und Südpol des Mondes Eis. Doch ist das kein Eis zum Schlittschuhlaufen, weil es in gefrorenem Mondstaub eingebettet ist. Sollten Menschen eines Tages zum Mond zurückkehren, könnten sie das Eis für Wasser und als Raketentreibstoff anzapfen.

SEI AKTIV!

Mondphasen machen

Du kannst die Mondphasen selbst machen. Dazu brauchst du einen dunklen Raum, eine Taschenlampe als Sonne, einen mit Alufolie umwickelten Ball als Mond und zwei Freunde. Stelle dich als Erde in die Mitte des Raumes. Ein Freund steht ein paar Schritte vor dir und hält den Mond-Ball hoch. Der andere Freund steht ein paar Schritte hinter dem Mond-Freund und richtet den Strahl der Taschenlampe Sonne auf den Mond-Ball. Nun geht der Mond-Freund im Kreis um dich herum, und du siehst, wie Mondphasen entstehen.

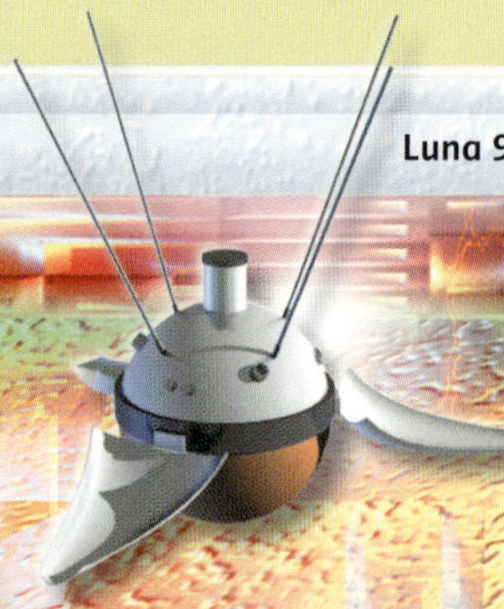

Luna 9, 1966

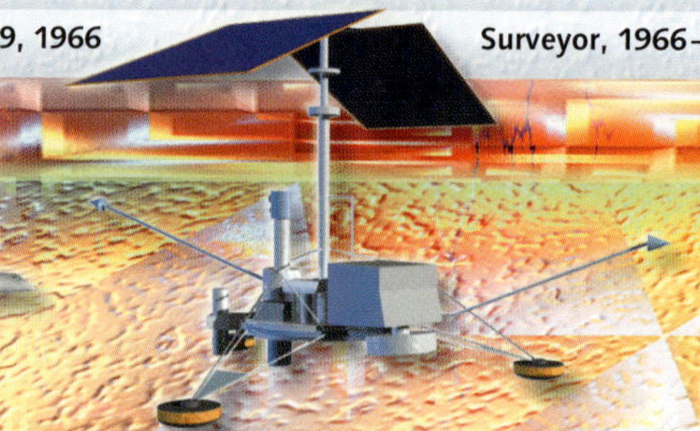

Surveyor, 1966–1968

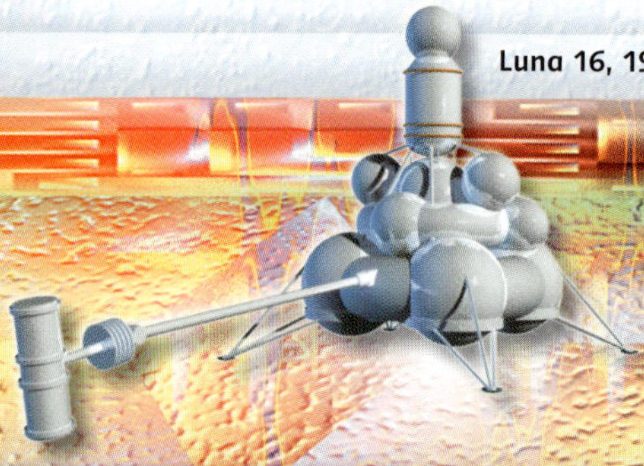

Luna 16, 1970

WÖRTERBUCH

Der Mond ist von Mondmeeren und **KRATERN** bedeckt. Mondmeere heißen auch **MARIA**, lateinisch für „Meere“. Aber die Mondmeere waren nie mit Wasser gefüllt. Sie sind riesige, völlig trockene Flächen aus Lavagestein. Die dunklen Vertiefungen sind durch die Meteoriteneinschläge entstanden. Sie sind nach dem griechischen Wort krater benannt, was „Schüssel“ heißt.

SCHON GEWUSST?

Die Oberfläche des Mondes hat die gleiche Größe wie der Erdkontinent Afrika.

Der Krater Copernicus ist doppelt so tief wie der Grand Canyon in Arizona.

Am Mondhimmel sieht die Erde viermal größer und 60-mal heller aus, als der Mond je von der Erde aussieht.

WEGWEISER

- Haben Menschen Sport auf dem Mond getrieben? Lies nach auf **S. 12–13**.
- Warum sieht der Mond manchmal rot aus? Lies nach auf **S. 29**.
- Wer ist größer – der Mond oder Pluto? Lies nach auf **S. 42**.

Diese Mondseite ist immer der Erde zugewandt. Sie ist von unzähligen Kratern zerklüftet. Apollo-Astronauten erkundeten diese Mondseite an sechs Landeplätzen.

Bei Lauf des Mondes um die Erde ist immer nur ein bestimmter, für uns sichtbarer Teil von der Sonne angestrahlt. Wenn der Mond zwischen uns und die Sonne rückt, ist die uns zugewandte Mondhälfte dunkel. Dann ist Neumond. Zwei Wochen später hat der Mond die Hälfte seiner Bahn zurückgelegt. Nun ist die uns zugewandte Seite von der Sonne beleuchtet, und es ist Vollmond. Der Mond braucht etwas mehr als 29 Tage vom Neumond bis zum Vollmond.

Neumond
Die erdzugewandte Mondseite ist dunkel. Diese Phase ist unsichtbar.

Zunehmende Sichel
Diese Phase kannst du am westlichen Himmel gleich nach Neumond sehen.

Erstes Viertel
Hoch am Abendhimmel, wenn die Sonne im Westen untergeht.

Zunehmender Mond
Dieser Mond steht am Abendhimmel 9 bis 12 Tage nach Neumond.

Vollmond
Dieser helle Mond geht im Osten auf, wenn die Sonne im Westen untergeht.

Abnehmender Mond
Ein paar Tage nach Vollmond geht dieser Mond spätnachts auf.

Letztes Viertel
Dieser Mond geht nach Mitternacht auf. Morgens steht er hoch am Himmel.

Abnehmende Sichel
Frühmorgens sieht man diesen Mond, der tief im Osten steht.

Vor rund viereinhalb Millarden Jahren schlug ein kleiner Planet auf der junge Erde ein. Dabei wurde der Planet in Stücke gerissen und große Teile der obersten Erdschichten ins All geschleudert. Die Gesteinstrümmer des Planeten und der Erde verbanden sich und bildeten den Mond.

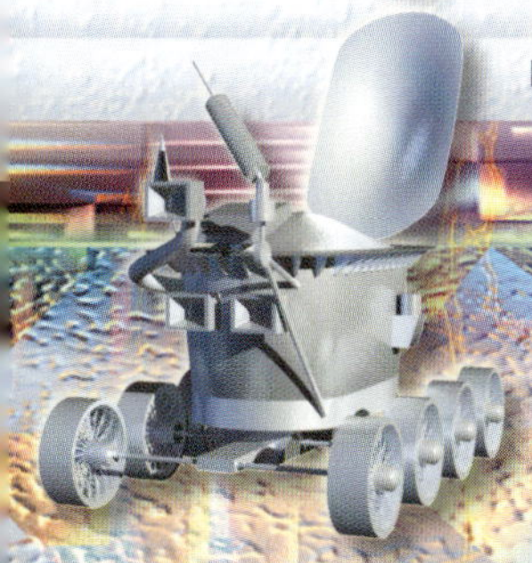

Lunokhod 1, 1970–1971

Apollo, griechischer Sonnengott

Amaterasu, japanische Sonnengöttin

Ra, ägyptischer Sonnengott

Die Sonne

Die Sonne ist ein Stern wie alle anderen, die wir am Nachthimmel sehen, nur ist sie uns näher. Ohne die nahe Sonne würde die Erde kalt und leblos wie Pluto sein. Pflanzen brauchen Sonnenlicht zum Wachsen und Mensch und Tier brauchen Pflanzen als Nahrung.

Die Sonnenwärme schafft auch unser Wetter. Sie lässt Winde entstehen und das Wasser der Ozeane zu Wolken und Regen verdampfen. Wissenschaftlern zufolge können auch geringfügige Änderungen der Sonnenenergie das Erdklima erwärmen oder abkühlen.

Die Sonne scheint seit fünf Milliarden Jahren. Wie erzeugt sie so viel Energie? Mit einer Oberflächentemperatur von 6000 °C scheint die Sonne in Flammen zu stehen, doch sie brennt nicht wie Holz oder Kohle. Die Sonne erzeugt Energie durch Kernfusion. In ihrem glühend heißen Kern prallen in jeder Sekunde 600 Millionen Wasserstoffatome aufeinander und werden zu schwereren Heliumatomen umgewandelt. Die dabei frei werdende Energie entweicht als Licht und Wärme in den Weltraum.

Stürme auf der Sonne wehen einen Teilchenwind in den Weltraum. Manchmal regnen diese Teilchen auf die Erdatmosphäre und regen dort die Luftteilchen zum Leuchten an. Diese farbigen Lichterscheinungen nennen wir Polarlichter. Am häufigsten beobachtet man sie auf der nördlichen Halbkugel in einem Kreis, der Nordskandinavien, Kanada und Alaska berührt, und auf der südlichen Halbkugel in Australien und Neuseeland.

Sonne von innen

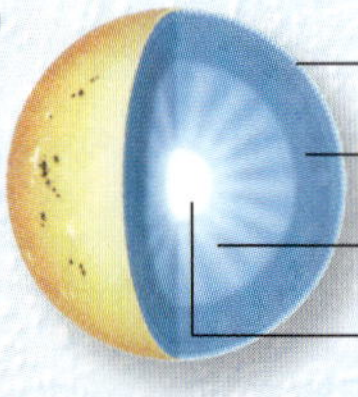

ACHTUNG: Nie direkt in die Sonne sehen – du könntest sonst erblinden. Wenn du eine Sonnenfinsternis beobachten willst, kannst du in einem Spezialgeschäft oder Planetarium eine Schutzbrille kaufen.

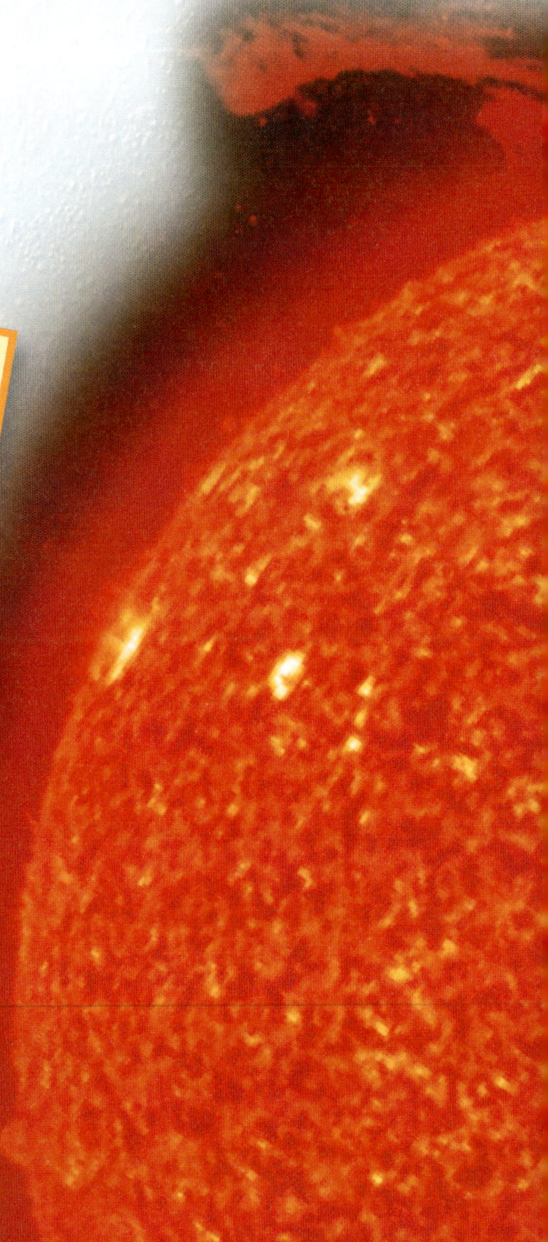

INSIDESTORY

Steinzeit-Kalender

Du stehst unter Hunderten von Menschen in einem aus riesigen Steinblöcken errichteten Kreis in Stonehenge in England. Es dämmert an einem Sommermorgen. Uhren oder Kalender gibt es nicht, denn es ist das Jahr 1500 v. Chr. Dennoch weiß jeder, dass etwas Bedeutendes geschehen wird. Und da! Die Sonne geht über einem 80 Meter entfernten Felsblock auf. Das tut sie nur einmal im Jahr – am 21. Juni, der Sommersonnenwende. So ist Stonehenge ein riesiger Steinzeit-Kalender!

Inka-Sonnenmaske

Sonnentempel der Maya

WÖRTERBUCH

Die römische Göttin der Morgenröte hieß Aurora. Sie stand Pate für die noch heute benutzten Fachausdrücke **AURORA BOREALIS**, was „Nordlicht" bedeutet, und **AURORA AUSTRALIS**, das „Südlicht" – das Polarlicht auf der Südhalbkugel.

SCHON GEWUSST?

Pro Sekunde strahlt die Sonne mehr Energie aus, als die Menschheit bis heute verbraucht hat.

Würdest du mit Autobahngeschwindigkeit von der Erde bis zur Sonne fahren, wärst du 170 Jahre unterwegs.

WEGWEISER

- Welche andere Sonde ist zur Sonne geflogen? Lies nach auf **S. 17**.
- Wie wirkt die Schwerkraft der Sonne auf die Planeten? Lies **S. 22–23**.
- Ist die Sonne der einzige Stern mit Planeten? Lies nach auf **S. 50–51**.
- Wo befindet sich die Sonne in der Galaxis? Lies nach auf **S. 56–57**.

Manchmal tauchen auf der Sonne Flecken auf. An diesen Stellen behindern starke Magnetfelder den Gasstrom aus dem Sonneninneren, wodurch sich die Gase abkühlen und die Flecken dunkler erscheinen lassen als die helle Sonnenscheibe. Sonnenflecken treten alle 11 Jahre besonders häufig auf.

Satelliten beobachten ständig unseren Stern, die Sonne. Die hier gezeigte Raumsonde SOHO, die seit 1996 im All stationiert ist, hat Tausende von Sonnenfotos gemacht. Andere solare Raumsonden erkunden die Teilchenströme von der Sonne. Ein Polar genannter Satellit beobachtet Polarlichter.

Die Sonne ist riesig – sie enthält 99,99 Prozent aller Materie des Sonnensystems. Eine Million Erden fänden in der Sonne Platz. Auf diesem von der Raumsonde SOHO gemachten Foto schießt ein zungenförmiges Gasgebilde, eine Protuberanz, ins All. Neben dieser gewaltigen Protuberanz wäre die Erde gerade stecknadelkopfgroß.

SONNENFINSTERNIS

Eine totale Sonnenfinsternis ist ein spektakuläres Naturereignis. Alle ein bis zwei Jahre tritt der Mond zwischen Erde und Sonne. Sein Schatten fällt als schmaler Streifen über die Erde. In diesem Streifen sehen die Menschen, wie die dunkle Mondscheibe minutenlang die Sonne verdeckt. Nur die schwache äußere Atmosphäre der Sonne, die Korona, bleibt sichtbar.

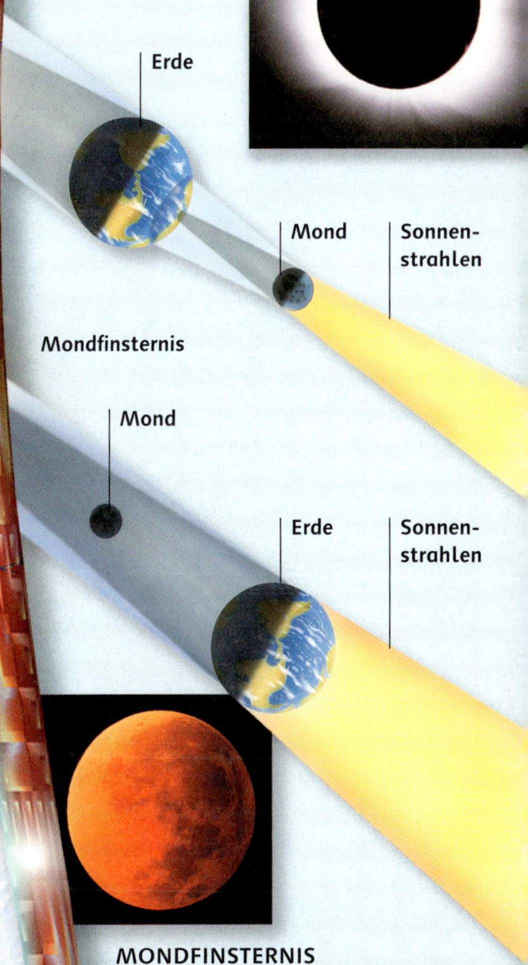

MONDFINSTERNIS

Eine totale Mondfinsternis ist auf der gesamten Nachtseite der Erde zu sehen. Wenn der Vollmond durch den dunklen, inneren Teil des Erdschattens wandert, verdunkelt er sich über eine Stunde lang und erscheint in einem kupferroten Licht.

Merkur, römischer Götterbote

Venus, römische Liebesgöttin

Merkur und Venus

Merkur und Venus kreisen beide viel näher an der Sonne als die Erde. Merkur, der innerste Planet, rast alle 88 Tage einmal um die Sonne. Aber er braucht fast zwei Drittel dieser Zeit – 59 Erdtage –, um sich einmal um die eigene Achse zu drehen. Sein langer Tag und kurzes Jahr führen dazu, dass Sonnenaufgänge nur alle 176 Erdtage vorkommen. Mittags steigt die Temperatur auf 430 °C, nachts fällt sie auf –180 °C.

Venus ist eine wahre Gluthölle, sogar noch heißer als Merkur. Überall auf der Venusoberfläche herrschen Tag und Nacht Temperaturen vom 460 °C. Das ist heiß genug, um Blei, Zinn und Zink zu schmelzen. Eine dichte Atmosphäre aus Kohlendioxid hält die Sonnenenergie zurück und heizt Venus auf. Obendrein fällt saurer Regen aus ihren Schwefelsäurewolken.

Für Raumschiffe ist Venus ein schwieriger Landeplatz. Von 1970 bis 1986 landeten zehn Venera-Sonden des russischen Raumfahrtprogramms auf der Venusoberfläche. Allerdings stellten sie bereits nach einer Stunde ihren Betrieb ein.

SEI AKTIV!

Leuchtende Venus

Bei vielen Völkern heißt Venus Abend- oder Morgenstern. Da Venus nahe der Sonne kreist, erscheint sie immer kurz nach Sonnenuntergang und kurz vor Sonnenaufgang. Wenn du am frühen Abend oder Morgen ein helles Objekt tief am Himmel siehst, ist es wohl Venus, die heller als jeder andere Stern und Planet strahlt. Venus scheint so hell, weil ihre dichte Atmosphäre das Sonnenlicht zurückwirft.

Merkur ist der Sonne so nahe, dass er immer nur dicht über dem Horizont erscheint und schwer zu beobachten ist. Auf dem Foto ist Venus der helle Punkt oben und Merkur leuchtet schwach zwischen den Ästen des Baumes.

Diese von der Raumsonde Magellan gelieferte Aufnahme zeigt Maat Mons, den höchsten der 167 Riesenvulkane auf Venus. Maat Mons ragt 8000 m über die Venusebenen und ist damit fast so hoch wie der Mount Everest. Maat Mons baute sich über Jahrmillionen aus Lava auf, die aus seinem Gipfel strömte. Niemand weiß, ob die Vulkane der Venus noch aktiv sind.

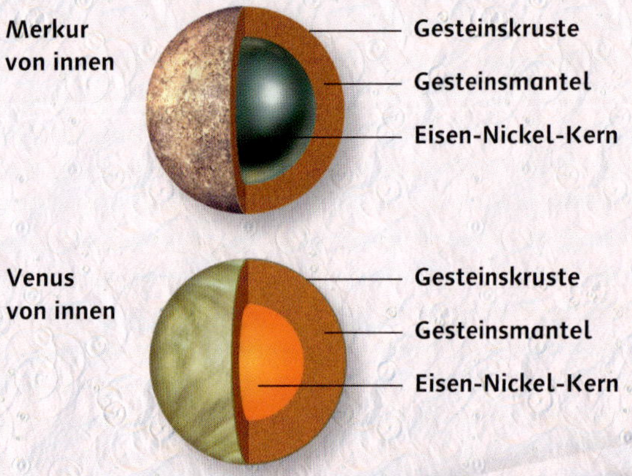

Die Luft auf der Venus ist zwar klar, flimmert aber in der extremen Hitze. Es ist wie an einem bedeckten Tag auf Erden. Der Himmel sieht rot aus und ist wolkenverhangen. Von der Venus aus könnte man weder Sonne noch Sterne sehen.

EINE NEUE WELT KARTIEREN

Wie kartiert man einen Planeten, der ständig von Wolken umhüllt ist? Die NASA-Sonde Magellan sandte Radarsignale auf die Venusoberfläche. Die Radiowellen durchdrangen die Wolken und wurden von der Oberfläche zu Magellan zurückgeworfen. Computer wandelten die Echos in Bilder von der Venusoberfläche um.

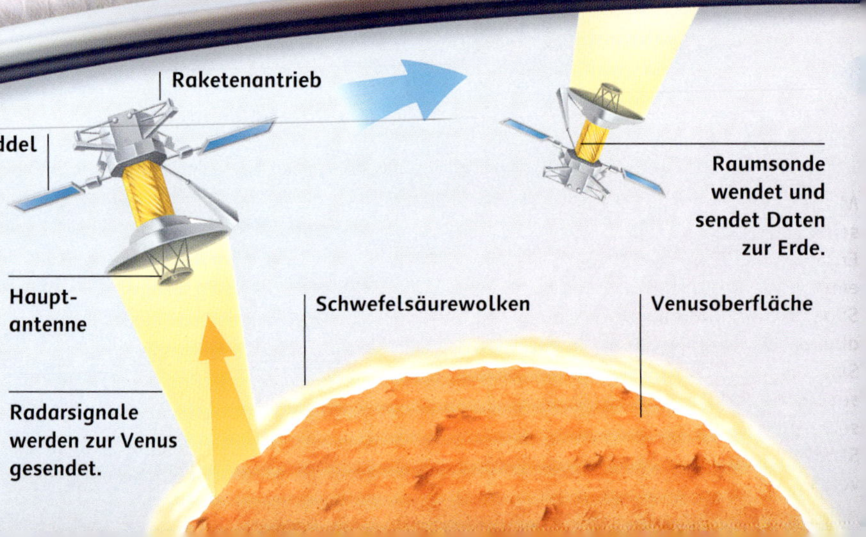

WÖRTERBUCH

MERKUR umläuft die Sonne so schnell, dass die Römer ihn nach ihren behenden Götterboten Mercurius benannten.

VENUS ist nach der römischen Göttin der Liebe und der Schönheit benannt. Die Sumerer nannten den Planeten Ishtar, die Maya Kukulkán.

SCHON GEWUSST?

Merkurs Kern aus Eisen und Nickel ist größer als unser Mond.

Ein Einschlagskrater auf Merkur – das Caloris-Becken – würde sich über halb Nordamerika erstrecken.

Venus dreht sich „rückwärts", anders als alle anderen Planeten außer Uranus.

WEGWEISER

- Saturns Mond Titan ist wolkenumhüllt wie Venus. Wie können Forscher seine Oberfläche sehen? Lies nach auf **S. 17**.
- Wo sind Merkur und Venus im Sonnensystem? Lies nach auf **S. 22–23**.
- Sieht Merkur wirklich wie der Mond aus? Lies nach auf **S. 26–27**.

Merkur ähnelt dem Mond. Beide sind luftlose, von Kratern bedeckte Welten. Auf Merkur scheint es aber keine großen Lavaebenen zu geben wie auf dem Mond. Wegen seiner Flugbahn konnte Mariner 10, die einzige Raumsonde, die Merkur besuchte, nur den halben Planeten kartieren.

Magellan übermittelte seine Radarbilder zur Erde. Jedes Bild zeigte einen von Norden nach Süden 16000 km langen, aber nur 24 km breiten Streifen von Venus. Wissenschaftler der Mission setzten dann die Streifen zu einer Karte von Venus zusammen.

Mars, römischer Kriegsgott

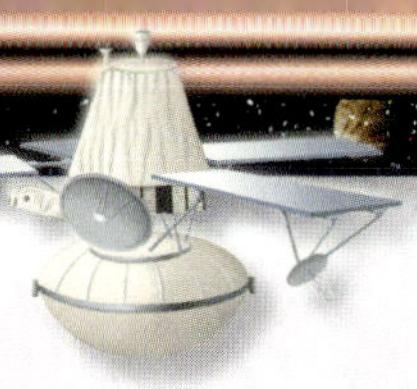
Viking-Sonde, 1976

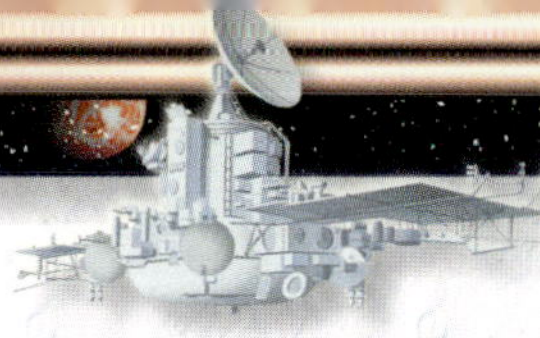
Phobos-Sonde, 1989

Mars

Mars ist der erdähnlichste aller Planeten. Ein Marstag ist nur 40 Minuten länger als ein Erdtag. Wie die Erde hat auch Mars Jahreszeiten. Und vor Jahrmilliarden war es auf Mars fast so warm wie auf der Erde. Flüsse durchströmten das Land. Ein Ozean bedeckte vielleicht einmal die Hälfte des Planeten, und primitives Leben könnte existiert haben. 1996 verkündeten Wissenschaftler, sie hätten Fossilien von Bakterien, einer einfachen Lebensform, in einem Meteoriten vom Mars gefunden. Andere Forscher bezweifeln dies.

Vermutlich werden Astronauten den Mars irgendwann besuchen. Auf der roten, staubigen Marsoberfläche könnten sie problemlos herumlaufen. Aber sie brauchen einen Raumanzug, weil es auf dem Mars keinen Sauerstoff, sondern nur Kohlendioxid gibt. An einem Sommertag beträgt die Temperatur auf Mars nur 0 °C, das ist der Gefrierpunkt von Wasser, nachts fällt sie auf –80 °C. Es ist so kalt wie in der Antarktis im Winter. Im Marswinter herrscht mit –125 °C klirrende Kälte, wie es sie nirgendwo auf der Erde gibt. Es ist so kalt, dass die Luft an Nord- und Südpol zu Kohlendioxideis gefriert.

Mars von innen

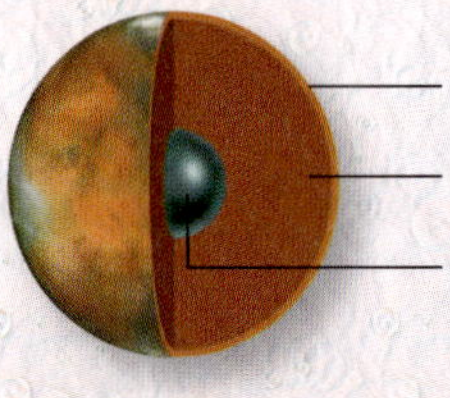

Mars ist ein Planet mit hoch aufragenden Vulkanen und tiefen Schluchten. Der höchste Vulkan ist Olympus Mons. Man müsste drei Mount Everests aufeinanderstapeln, um den Gipfel dieses gewaltigen Berges zu erreichen. Die längste Schlucht ist Valles Marineris. Auf der Erde würde sich Valles Marineris quer über Nordamerika erstrecken. Der Grand Canyon in Arizona wäre ein Kratzer neben dieser gewaltigen Narbe in der Marskruste.

Chasma = lange Einsenkung (wie ein Canyon)
Mons = Berg
Montes = Berge
Fossae = lange, flache Einsenkungen (wie Rillen)
Patera = unregelmäßige Krater
Planitia = flache Ebene
Planum = Plateau oder Ebene
Terra = ausgedehnte Landmasse
Tholus = kleiner Berg oder Hügel
Vallis, Valles = Tal
Vastitas = weite Ebene

INSIDESTORY

Mission zum Mars

Stell dir vor, du wärst der erste Astronaut auf einer Mars-Mission. Langsam kletterst du die Leiter deines Landers hinab. Die Apollo-Astronauten brauchten nur drei Tage bis zum Mond, doch du hast sechs Monate Flug zum Mars hinter dir und wirst wegen der Bahn des Planeten deine Heimat erst in zwei Jahren wiedersehen. Ohne die schützende Erdatmosphäre warst du der schädlichen Strahlung aus dem All ausgesetzt. Deine Muskeln und Knochen sind wegen der langen Schwerelosigkeit geschwächt. Nun bist du der erste Mensch, der Mars besucht. Die Landschaft ist eine herrliche rote Wüste. Der Marshimmel ist lachsrot gefärbt. Du setzt den Fuß auf den roten Sand. Millionen Menschen sehen dir im Fernsehen zu und hören deine ersten Worte. Was wirst du sagen?

Deimos

Phobos

Zwei kleine Monde umkreisen Mars. Deimos, der äußere Mond, ist nur 15 km lang. Phobos, der innere Mond, ist eine 27 km lange, kartoffelförmige Welt. Beide Monde sind wohl Asteroiden, die von der Schwerkraft des Planeten in eine Umlaufbahn gezwungen wurden.

Sojourner-Geländefahrzeug, 1997

Raumsonde Global Surveyor, 1997–2000

WÖRTERBUCH

Die rote Farbe des Mars wurde von Völkern der Antike mit Blut und Schlachten in Verbindung gebracht. Die Babylonier nannten ihn **NERGAL**, den Todesstern. Die Griechen benannten ihn nach ihrem Kriegsgott **ARES**. Heute nennen wir ihn nach dem römischen Kriegsgott **MARS**.

SCHON GEWUSST?

Könnte man alles Eis auf Mars schmelzen, glauben Wissenschaftler, mit dem Wasser einen 10 bis 100 m tiefen Ozean füllen zu können.

Deimos' Schwerkraft ist so schwach, dass du mit einem Riesensprung diesen Marsmond verlassen könntest.

WEGWEISER

- Warum schickte die NASA einen Rover zum Mars? Lies nach auf S. 16–17.
- Wie sahen die bakterienähnlichen Strukturen auf dem Mars-Meteoriten aus? Lies nach auf S. 19.

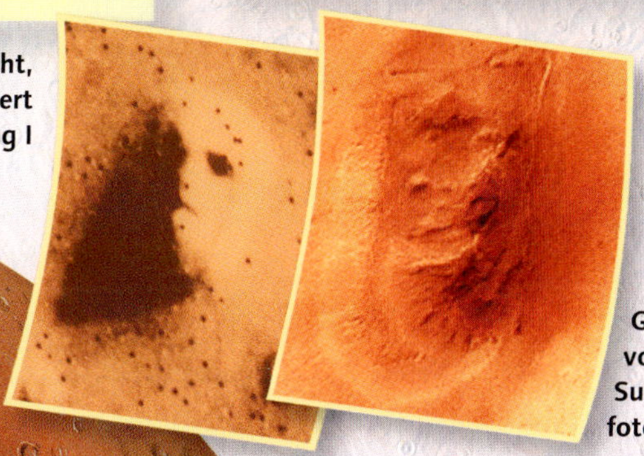

Das Gesicht, fotografiert von Viking I

Gesicht, von Global Surveyor fotografiert

Die Raumsonde Viking 1 fotografierte 1976 ein mysteriöses Gebilde, das wie ein Gesicht aussah. War das ein Beweis für Leben auf Mars? 1998 fotografierte die Sonde Mars Global Surveyor das gleiche Gebilde mit einer viel besseren Kamera. Die scharfen neuen Bilder enthüllten die Wahrheit. Das Gesicht ist ein vom Wind erodierter und nicht von Marsianern geformter Berg.

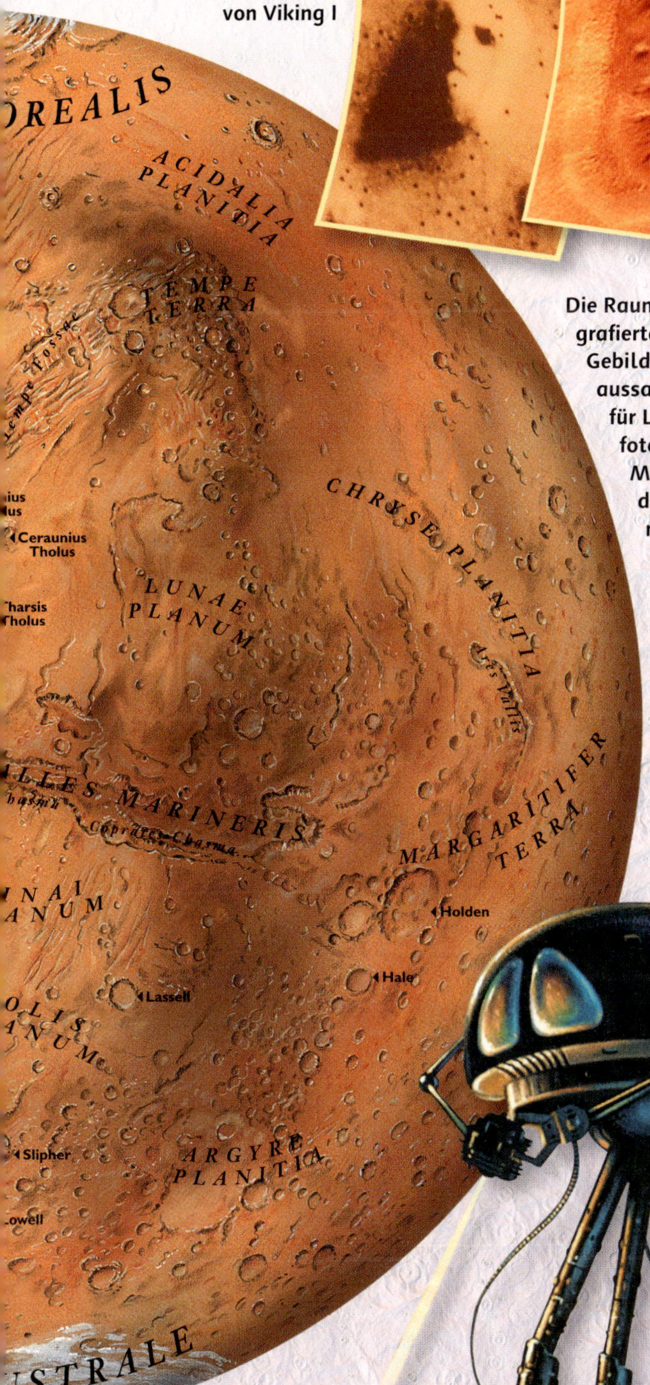

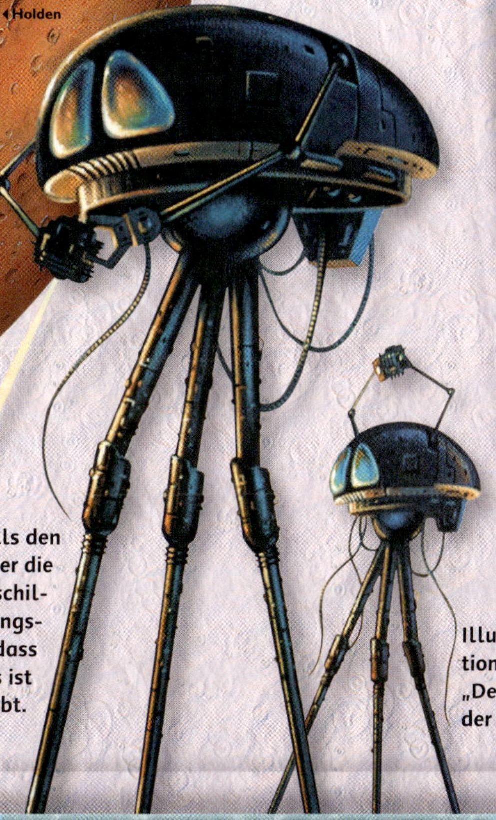

1897 schrieb der Brite H. G. Wells den Zukunftsroman „Der Krieg der Welten", der die Invasion von Marsmenschen auf der Erde schildert. Diese Geschichte wurde 1938 so beängstigend realistisch als Hörspiel gesendet, dass Tausende von Panik ergriffen wurden. Es ist aber erwiesen, dass es keine Marsianer gibt.

Illustration aus „Der Krieg der Welten".

MARS AUF DER ERDE

Bisher hat kein Astronaut den Mars betreten und sind keine Robotersonden mit Proben von Marsgesteinen zurückgekehrt. Dennoch glauben Forscher, dass sie mehr als ein Dutzend Gesteinsbrocken vom Mars auf der Erde gefunden haben. So könnten sie hier gelandet sein.

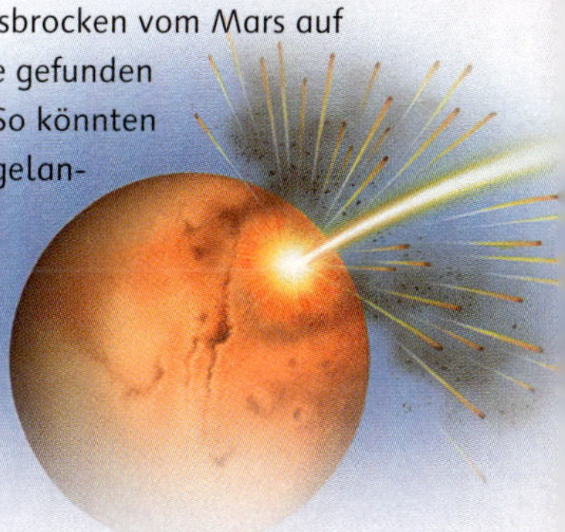

Ein kleiner Asteroid schlägt auf Mars ein. Durch die Wucht des Aufpralls entsteht ein Krater, und Marsstücke fliegen ins All.

Wie Asteroidenschauer kreisen diese Mars-Steine viele Jahrmillionen auf einer Umlaufbahn um die Sonne.

Irgendwann stoßen ein paar Felsbrocken mit der Erde zusammen. Sie stürzen als Meteoriten auf ihre Oberfläche.

Die Forscherin Roberta Score findet 1984 in der Antarktis diesen auf dem Eis liegenden Marsbrocken.

Ceres, römische Göttin des Ackerbaus

NEAR, 1997

Weltraumreisende

Zwischen Mars und Jupiter liegt der sogenannte Asteroidengürtel. Hier kreisen Zehntausende von Asteroiden, doch sind sie so weit voneinander entfernt, dass man hindurchfliegen könnte, ohne auch nur einen einzigen zu sehen. Fast alle Asteroiden befinden sich im Gürtel, nur die sogenannten Trojaner kreisen außerhalb in derselben Bahn um die Sonne wie Jupiter. Erdnahe Asteroiden wandern in Sonnennähe und kreuzen gelegentlich die Erdbahn.

Astronomen vermuten, dass Asteroiden felsige oder metallische Brocken sind, die aus der Frühzeit des Sonnensystems übrig geblieben sind. Der größte Asteroid, Ceres, ist so groß wie Texas in den USA, aber die meisten Asteroiden sind nur große Brocken. Überall im Sonnensystem umkreisen unzählige Gesteinstrümmer, Meteoriten genannt, die Sonne. Die größeren stammen von Asteroiden, die im Asteroidengürtel zusammenprallten und zertrümmerten. Die kleineren sind meist Staubteilchen von vorüberziehenden Kometen.

INSIDESTORY

Asteroidenjagd

„Es war eine kalte Dezembernacht 1997 im Spacewatch Telescope in Arizona", schildert Jim Scotti. „Ich war allein in der Kuppel, als ein Asteroid auf dem Computer erschien, der sich ungewöhnlich schnell voranbewegte." Jim Scotti hatte einen Kleinplaneten, den 1997 XFII, gefunden, einen von über 200 Asteroiden, die der Erde gefährlich nahe kommen. „Es ist zwar nicht mehr so aufregend wie die Entdeckung der ersten erdnahen Asteroiden, aber immerhin noch ein gutes Gefühl."

Manchmal überleben Felsbrocken aus dem All ihren Sturz durch die Atmosphäre und schlagen auf der Erde auf. Sie heißen dann Meteoriten. Die meisten Meteoriten sind klein, doch dieser Meteorit ist fast so groß wie ein Elefantenbaby. Er wurde in Grönland gefunden.

Wenn ein kleiner Gesteinsbrocken der Erde zu nahe kommt, verglüht es in der oberen Erdatmosphäre und verursacht kurz einen hellen Streifen am Himmel. Diese Lichterscheinung wird oft Sternschnuppe genannt, richtig aber ist der Ausdruck Meteor.

Deep Space 1, 1999

MUSES-C, 2003

WÖRTERBUCH

Ein Astronom, der einen Asteroiden entdeckt, darf ihn benennen. Viele Asteroiden, wie Ceres, Pallas und Juno, sind nach mythologischen Gestalten benannt. Andere tragen den Namen berühmter Astronomen. Vier heißen John, Paul, George und Ringo nach den Beatles. Einer heißt sogar Mr. Spock nach der Katze eines Astronoms – und der Figur aus „Raumschiff Enterprise".

SCHON GEWUSST?

Alle Asteroiden unseres Sonnensystems vereint würden nur etwa ein Drittel so groß wie der Erdmond sein.

Der größte je gefundene Meteorit, der Hoba-West-Meteorit in Namibia, Afrika, ist rund 2,5 m lang und wiegt 60 Tonnen – das ist so schwer wie neun Elefanten!

WEGWEISER

- Welche anderen Rover haben das Weltall erkundet? Lies nach auf S. 16–17.
- Wo ziehen Asteroiden ihre Bahnen? Lies nach auf S. 22–23.
- Wann kann man einen Meteorschauer sehen? Lies nach auf S. 44.

Die meisten Asteroiden sehen wohl so aus wie der hier gezeigte Ida. 1993 lieferte die Raumsonde Galileo auf ihrem Flug zum Jupiter diese Nahaufnahme von Ida. Der Felsbrocken ist 53 km lang, etwa so groß wie New York City, USA. Die Sonde entdeckte, dass ein 1,5 km kleiner Mond Ida umkreist. Astronomen nannten ihn Daktyl, nach den dämonischen Wesen der griechischen Mythologie, die auf dem Berg Ida lebten.

Im Jahr 2003 startete die japanische Raumsonde MUSES-C (Mu Engineering Spacecraft C) zu Nereus, einem 1,5 km langen, erdnahen Asteroiden. Geplant war, dass sich an Bord des Raumschiffs auch ein Nano-Rover befinden sollte, der auf dem Asteroiden herumfahren und Nahaufnahmen von Gesteinen und Boden machen konnte. Aber die Entwicklung des Rovers wurde von der NASA auf unbestimmte Zeit verschoben.

RIESENMETEORIT

Alle paar Jahrmillionen stößt ein riesiger Brocken aus dem Weltall mit der Erde zusammen. Das geschah vor 65 Millionen Jahren, als ein gewaltiger Asteroid oder ein Komet dort einschlug, wo heute die mexikanische Halbinsel Yucatan liegt. Als Folge davon starben die Dinosaurier aus.

Der Asteroid – oder Eiskomet – schlägt auf der Erde ein. Er explodiert mit der Sprengkraft von 100 Millionen Wasserstoffbomben und schafft einen Krater von 160 km Durchmesser.

Gigantische Flutwellen überschwemmen die Region der heutigen Karibik. Durch die Explosion werden glühende Trümmer in die Luft geschleudert und fallen auf die Erde zurück, wo sie weltweit Brände entfachen.

Nach dem Einschlag hängt monatelang eine Staubwolke in der Luft und blockiert das Sonnenlicht. Pflanzen sterben aus, gefolgt von Tieren, die sie fressen. So verhungern auch Fleischfresser. Das Zeitalter der Dinosaurier geht zu Ende.

Jupiter, oberster römischer Gott

Ganymed, Mundschenk des Zeus

Jupiter

Jupier, der mit Abstand größte Planet, ist eine Riesenkugel aus Wasserstoff und Helium. Aus den gleichen Gasen besteht die Sonne, doch Jupiter müsste 80-mal mehr Gase enthalten, ehe er wie ein Stern leuchten könnte.

Trotz seiner Größe dreht sich der Riese schneller als alle anderen Planeten – ein Tag auf Jupiter ist knapp 10 Stunden lang. Jupiters rasante Drehung peitscht die Wolken zu Stürmen auf, die so groß wie ein irdischer Kontinent sind. Winde toben mit einer Geschwindigkeit bis zu 500 km/h. Riesige Blitze zucken durch die Gewitterwolken.

Die Raumsonde Galileo gelangte 1995 auf eine Umlaufbahn um Jupiter und machte Hunderte von Aufnahmen von den Stürmen und Monden des Planeten sowie von seinem hauchdünnen Staubring. Eine von Galileo abgekoppelte Messkapsel, Probe genannt, tauchte in Jupiters glühende Atmosphäre ein.

Am 7. Dezember 1995 tauchte die kegelförmige Messkapsel der Galileo-Sonde mit der 50-fachen Geschwindigkeit einer Gewehrkugel in die Jupiter-Atmosphäre ein. Von heftigen Winden seitlich versetzt, raste die Kapsel Hunderte von Kilometern schräg abwärts durch Wolken aus Ammoniakkristallen. Eine Stunde lang untersuchten ihre Instrumente die Luft, bevor die Kapsel in Jupiters stürmischer Atmosphäre zerquetscht wurde und verdampfte.

Jupiter von innen

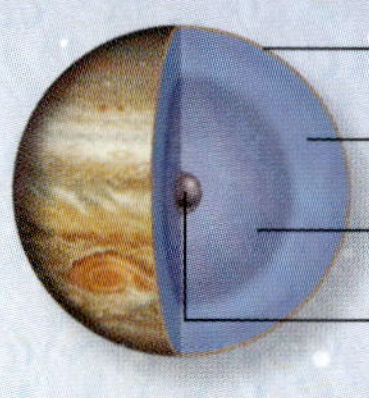

Im Juli 1994 schlugen 21 Trümmer des Kometen Shoemaker-Levy 9 nacheinander auf Jupiter ein. Teleskope überall auf der Erde beobachteten die Explosionen, die Jupiters Wolkendecke mit schwarzen Flecken, größer als die Erde, verunzierten. Erst nach Monaten kam Jupiter wieder zur Ruhe.

JUPITERS RIESIGE MONDE

Jupiters enorme Schwerkraft hält eine Familie von 16 Monden zusammen. Zwölf sind nur so groß wie kleine Asteroiden – und einige von ihnen sind vielleicht tatsächlich vor langer Zeit von Jupiters Schwerkraft eingefangene Asteroiden. Doch vier von Jupiters Monden sind größer als Pluto. Der Astronom Galileo hatte sie schon 1610 entdeckt. Man nennt sie darum die Galileischen Monde.

Durchmesser: 3630 km

Auf Io sind unablässig Vulkane aktiv. Sie speien nicht nur geschmolzenes Gestein aus, sondern lassen auch flüssigen Schwefel auf Io niederregnen. Der Schwefel kühlt ab und erhärtet zu einer bunten Kruste in leuchtendem Gelb und Orange.

Durchmesser: 3140 km

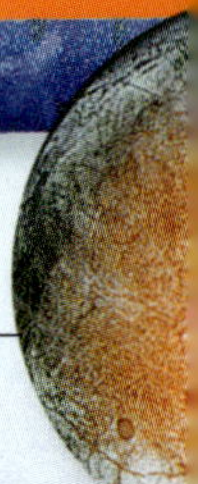

WÖRTERBUCH

JUPITER ist der oberste Gott der Römer. Das Wort jovial bedeutet „zu Jupiter gehörend". Wenn jemand **JOVIAL** ist, ist er fröhlich wie der Gott selbst. Die meisten Monde des Planeten sind nach den zahlreichen Ehefrauen des Gottes benannt.

SCHON GEWUSST?

Irdische Wirbelstürme dauern zwei Wochen. Jupiters Großer Roter Fleck tobt seit mindestens 300 Jahren.

Metis, Jupiters innerster Mond, saust so schnell um den Planeten, dass er Nordamerika in nur 2,5 Minuten überqueren könnte.

WEGWEISER

- Der Astronom Galileo fand Jupiters vier große Monde. Was entdeckte er noch? Lies nach auf **S. 10**.
- Was hoffen Wissenschaftler in Europas Ozean zu finden? Lies nach auf **S. 18–19**.
- Wie sah der Komet Shoemaker-Levy 9 aus? Lies nach auf **S. 45**.

Auf Jupiter gibt es weiße Ammoniakwolken, blaue Wasserwolken und braune Wolken aus Schwefelverbindungen. Jupiters rasante Drehung wickelt diese Wolken als Streifen um den Planeten. Der Große Rote Fleck ist ein tobender Wirbelsturm in den Wolken. In dem riesigen Sturmgebiet fände die Erde zweimal Platz. Astronomen sind immer noch dabei herauszufinden, wie dieser Fleck entstand.

Jupiter, fotografiert von Voyager 2

Der Große Rote Fleck, aufgenommen vom Raumschiff Galileo

In der Atmosphäre von Jupiter leuchten die Wolken in allen Regenbogenfarben. Diese vom Raumschiff Galileo gelieferte Aufnahme wurde am Computer bearbeitet und zeigt, wie es hinter den Jupiter-Wolken aussieht.

SEI AKTIV!

Jupiters Monde

Um Jupiters vier große Monde zu finden, musst du erst einmal Jupiter entdecken. Ruf bei dem nächstgelegenen Planetarium an oder geh in eine Website wie www.planetarium.de. Wenn du weißt, wo du suchen musst, kannst du Jupiter mit bloßem Auge sehen. Mit dem Fernglas findest du auch die Monde, die wie winzige Lichtpunkte aussehen. Die Monde umkreisen Jupiter, darum wirst du sie an einer anderen Stelle finden, wenn du in einer anderen Nacht nachsiehst. Die Bilder unten zeigen die Stellung der Monde in zwei aufeinanderfolgenden Nächten.

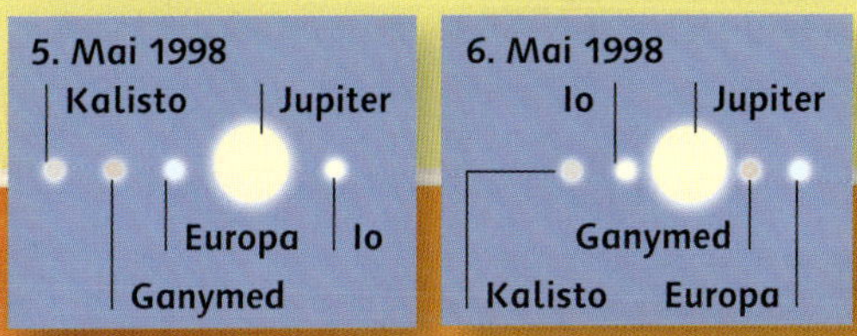

Die Raumsonden Voyager 1 und 2 und Galileo entdeckten, dass Europa vollständig von einer Eiskruste überzogen ist. Darunter verbirgt sich vielleicht ein Ozean – womöglich der einzige im Sonnensystem außer den irdischen Ozeanen.

Durchmesser: 5260 km

Ganymed ist der größte Mond im Sonnensystem und zweimal so groß wie Pluto und ein bisschen größer als Merkur.

Tausende Krater machen Kallistos vereiste Oberfläche pockennarbig. Abgesehen vom gelegentlichen Einschlag eines Kometen, hat sich dieser kalte Mond seit Jahrmilliarden kaum verändert.

Durchmesser: 4800 km

Saturn, römischer Gott des Ackerbaus

Titan, griechischer Riese

Saturn

Saturn ist umgeben von Tausenden von Ringen. Ohne diese Ringe sähe Saturn wie eine kleinere Ausgabe von Jupiter aus. Saturn ist ebenfalls ein Riesenplanet aus Wasserstoff und Helium. Auch er dreht sich schnell, sein Tag dauert 10 Stunden und 40 Minuten Erdzeit. In Saturns Wolken aus Ammoniak-Eiskristallen ist es –135 °C kalt. Stürme toben auf Saturn noch hefiger als auf Jupiter. An manchen Stellen erreichen sie Geschwindigkeiten von 1300 km/h, das ist 11-mal schneller als irdische Hurrikane.

Die Wolkenbänder auf Saturn sind weniger farbenprächtig als die auf Jupiter. Das liegt vermutlich daran, dass Saturn weiter von der Sonne entfernt und kälter ist. Der Saturn ist von 18 Monden umgeben. Der größte ist Titan, der zweitgrößte Mond im Sonnensystem und der einzige mit einer dichten Atmosphäre. 2004 ist vom Raumschiff Cassini aus eine Sonde auf seiner Oberfläche gelandet.

INSIDESTORY

Planet mit Ohren

Es ist das Jahr 1656. Christiaan Huygens lässt dich durch sein Teleskop gucken. Es vergrößert 50-fach. „Siehst du?", fragt er. „Saturn ist von einem dünnen, flachen Ring umgeben, der den Planeten nirgends berührt." Saturn hatte schon frühere Beobachter interessiert, darunter Galileo, Fontana und Riccioli, aber in ihren schwachen Teleskopen sah Saturn aus, als hätte er „Griffe" oder „Ohren". Heute sind die Saturnringe schon mit einfachen Teleskopen zu sehen.

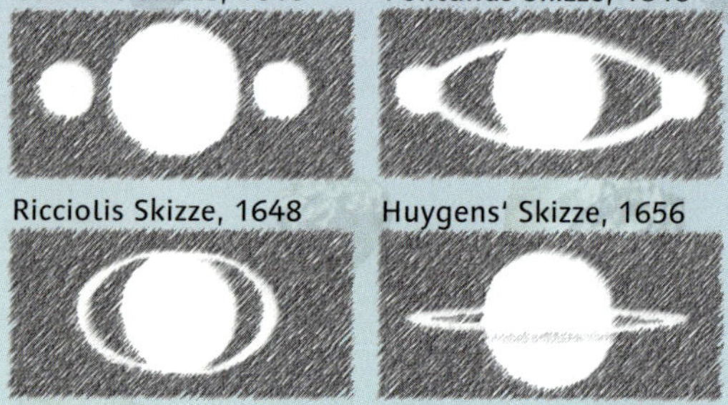

Galileos Skizze, 1610 · Fontanas Skizze, 1646 · Ricciolis Skizze, 1648 · Huygens' Skizze, 1656

Saturn von innen

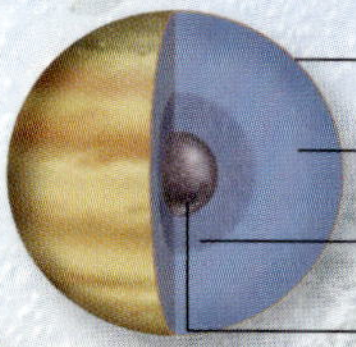

Ein riesiger Krater zerfurcht Mimas, einen kleinen inneren Saturnmond. Vor Jahrmillionen schlug ein großer Brocken auf Mimas ein und hinterließ diesen Krater. Mimas und die meisten anderen Saturnmonde sind nach den Mitgliedern eines griechischen Göttergeschlechts benannt.

Drei Hauptringe umkreisen Saturn. Der äußere Ring A ist durch eine dunkle Lücke, die sogenannte Cassini-Teilung, von Ring B getrennt. Der innere Ring C ist dunkler als die anderen, weil er weniger Eisteilchen enthält, die die Sonnenstrahlen reflektieren.

RINGE UM SATURN

Die Saturnringe gehören zu den schönsten, aber auch geheimnisvollsten Objekten im Sonnensystem. Wie kamen die Ringe dorthin? Und wann entstanden sie? Einer Theorie zufolge sind die Ringe nur wenige Millionen Jahre alt und entstanden bei einer kosmischen Kollision. Das könnte so vor sich gegangen sein:

Ein großer Komet oder Asteroid schlägt in einen Eismond ein, der Saturn umkreist.

WÖRTERBUCH

SATURN ist der Name eines römischen Gottes. Viele alte Völker sahen in den Planeten Götter und versuchten, die Gesetze des Planetenlaufs zu ergründen, um ihr Verhalten zu deuten.

TITAN ist nach dem griechischen Göttergeschlecht benannt. Es waren Riesen, und auch Titan ist der größte Saturnmond.

SCHON GEWUSST?

Die Saturnringe sind nicht dicker als ein sechstöckiges Gebäude. Für ein maßstabsgetreues Modell bräuchtest du ein Blatt Papier, das acht Stadtviertel groß ist, aber nur so dick wie diese Buchseite.

WEGWEISER

- Wie wollen Wissenschaftler eine Sonde auf dem Saturnmond Titan landen? Lies nach auf S. 17.
- Gibt es auf irgendeinem der Saturnmonde Leben? Lies nach auf S. 18–19.
- Welche anderen Planeten haben Ringe? Lies nach auf S. 36–37, 40–41.

Die Saturnringe sehen aus, als seien sie glatt und fest. In Wirklichkeit bestehen sie aber aus Milliarden von Eisbrocken, die so groß sind wie Hagelkörner oder Schneebälle. Würde man die Ringteilchen zusammenballen, entstünde daraus ein riesiger Schneeball mit einem Durchmesser von rund 100 km – also von der Größe eines kleinen Saturnmondes.

Durch den Zusammenprall zerbirst der Mond in eine Wolke von Eisteilchen. Diese Teilchen umkreisen dann Saturn wie ein Schwarm kleiner Monde.

Die Eisteilchen stoßen unablässig aneinander und werden weiter zerkleinert. Im Laufe der Jahre verteilen sich die Teilchen und bilden einen breiten Ring um den Planeten.

Einige der Eisteilchen, die nicht weiter zertrümmert wurden, bleiben kleine Monde, die am Rand der Ringe kreisen. Die Schwerkraft hält die Ringteilchen in ihrer Bahn.

Uranus, griechischer Himmelsgott

Neptun, römischer Meeresgott

Uranus und Neptun

Jahrtausendelang glaubte man, Saturn sei der fernste Planet. Dann aber sah William Herschel 1781 einen „merkwürdig verschwommenen Stern, vielleicht einen Kometen" durch sein Teleskop. Später erkannte er, dass dies der siebte Planet, Uranus, war. Winzige Unregelmäßigkeiten in der Bahn von Uranus ließ Astronomen nach einem noch ferneren Planeten suchen, der vielleicht an Uranus zog. Johann Galle und Heinrich D'Arrest entdeckten 1846 Neptun, den achten Planeten.
Uranus und Neptun sind viermal größer als die Erde. Jeder ist von dunklen, dünnen Ringen umgeben und hat eine Atmosphäre aus giftigem Methan. Diese absorbiert rotes Licht, wirft aber blaues ins All zurück, sodass Uranus und Neptun blaugrün aussehen.
Uranus und Neptun weisen aber auch Unterschiede auf. Neptun hat einen heißen Kern. Astronomen glauben, dass Hitze aus ihm aufsteigt, die Wolken durcheinanderwirbelt und heftige Stürme auslöst. Das Wetter in der Uranus-Atmosphäre ist vergleichsweise ruhig. Uranus hat vermutlich einen kalten Kern.

Der beringte Neptun steht riesengroß am Himmel von Triton, dem größten der acht Neptunmonde. Die Temperaturen fallen auf Triton bis auf –235 °C. Das ist so kalt wie auch auf anderen Monden und Planeten des Sonnensystems. Doch trotz der Kälte ist Tritons Oberfläche mit Geysiren gesprenkelt, die dunkle Fontänen aus kaltem Stickstoffeis und Methan ausspeien.

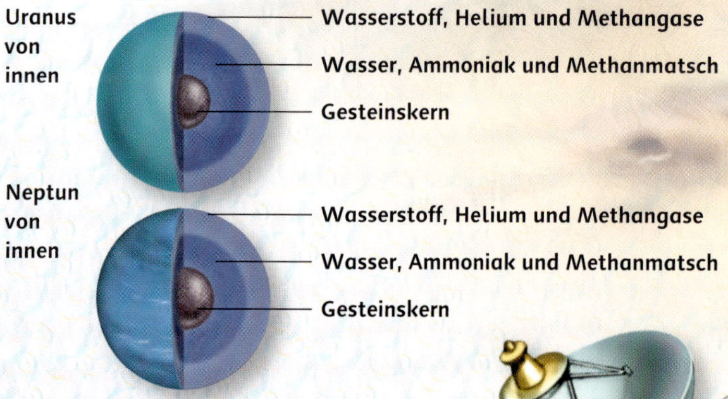

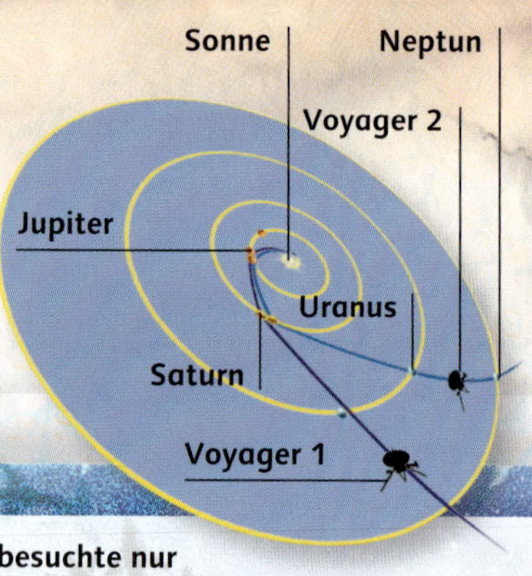

INTERPLANETARISCHE REISENDE

Was wir heute über die vier Gasriesen Jupiter, Saturn, Uranus und Neptun wissen, wurde von den Voyager-Sonden der NASA entdeckt. Die Sonden Voyager 1 und Voyager 2 erkundeten Jupiter und Saturn 1979, 1980 und 1981.

Voyager 1 besuchte nur Jupiter und Saturn. Die Sonde verließ dann das Sonnensystem, ihre Hauptmission war beendet. Aber die Mission von Voyager 2 war eine große Tour zu allen vier Gasriesen. Sie flog 1986 an Uranus und 1989 an Neptun vorbei.

WÖRTERBUCH

Astronomen entdeckten 1997 zwei neue Monde auf Bahnen um Uranus. Sie nannten die kleinen Monde **SYCORAX** und **CALIBAN**, nach zwei Gestaltend in „Der Sturm", einem Schauspiel von William Shakespeare. Sycorax ist eine Hexe und Caliban ihr böser Sohn. Die meisten Uranusmonde sind nach Figuren in Shakespeare-Stücken benannt.

SCHON GEWUSST?

Neptuns Mond Triton ist der einzige Mond im Sonnensystem, der seinen Planeten gegen dessen Rotationsrichtung umrundet.

Weil ein Jahr auf Neptun – die Zeit, in der er einmal die Sonne umkreist – 164 Erdjahre dauert, würde niemand auf Erden ein Neptunjahr alt werden.

WEGWEISER

- Welcher Art waren die Voyager-Missionen? S. 16–17.
- Welche anderen Gasriesen gibt es? S. 36–37 und S. 38–39.
- Hat man in neuerer Zeit andere Planeten entdeckt? S. 42.

Verglichen mit anderen Planeten liegt Uranus auf der Seite. Während eines Uranusjahres zeigt erst einer seiner beiden Pole zur Sonne und dann der andere. Astronomen vermuten, dass Uranus von einem Riesenasteroiden gerammt und gekippt worden sein könnte.

Voyager 2 machte 1986 Nahaufnahmen von Uranus und mehreren seiner 17 Monde. Der innerste Mond, Miranda, verblüffte durch seine zerstückelte Oberfläche – als ob er aus Stücken anderer Monde zusammengebacken sei.

Durchmesser: 50826 km

Durchmesser: 120 km

INSIDESTORY

Die Sensation

Du gehörst zu einer Gruppe von Astronomen an Bord des fliegenden Kuiper-Observatoriums. An der Seite des Flugzeugs ragt ein Teleskop heraus. Euer Ziel heute Nacht – am 10. März 1977 – ist Uranus. Ihr seht, wie ein Stern hinter dem Planeten verschwindet. Ein Astronom ruft: „Okay. Wir haben einen. Wir hören ein Knacken." Ein Kollege bestätigt dies. „Wir hören wieder Geräusche." Irgendetwas lässt den Stern verblassen, kurz bevor er hinter Uranus verschwindet. „Es gibt keine Wolken", sagt jemand. „Na, vielleicht ist es ein Ring von Uranus. Da ist ja noch einer!" Dein Team hat etwas Sensationelles entdeckt – Ringe um Uranus! Bisher kannte man Ringe nur von Saturn.

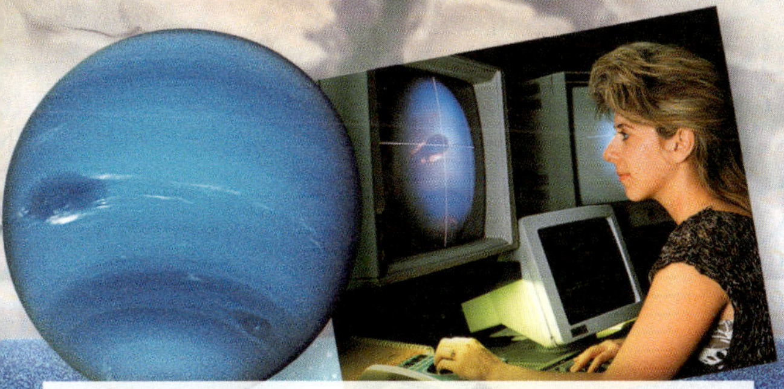

Voyager 2 fotografierte den Großen Dunklen Fleck, einen erdgroßen Wirbelsturm auf Neptun. Wissenschaftler beobachteten den Sturm tagelang. Fünf Jahre später, als Astronomen Neptun durch das Hubble-Teleskop erneut betrachteten, war der Große Dunkle Fleck verschwunden.

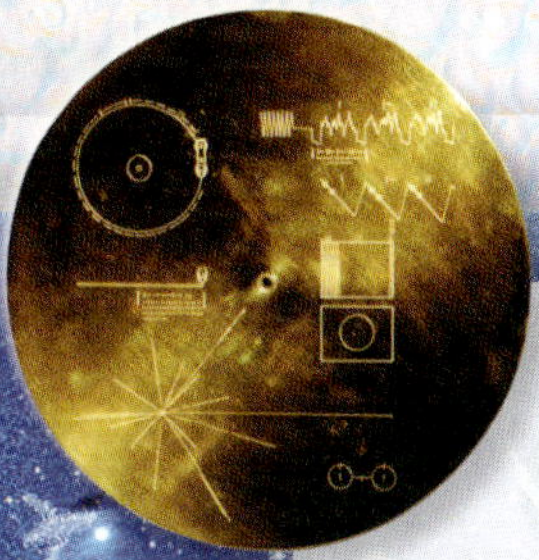

Voyager 1 und Voyager 2 sind nun unterwegs zu den Sternen. Sollten Außerirdische sie jemals bergen, hat jede Sonde Grüße von der Erde an Bord. Die vergoldete Plattenhülle zeigt die Stellung der Erde in unserer Galaxis.

Pluto und dahinter

Am Rand des Sonnensystems liegt der Zwergplanet Pluto. Riesengroß am Himmel steht Charon, Plutos Mond. Mit 1200 km Durchmesser ist Charon mehr als halb so groß wie Pluto. Pluto und Charon bestehen beide überwiegend aus Eis. Plutos Landschaft ist ein Flickenteppich aus hellen, vereisten Gebieten und dunklen, frostfreien Regionen. Die Eisdecke besteht aus auf –238 °C gefrorenem Stickstoff und Methan. Die eisfreien Regionen sind nur ein paar Grad wärmer. Durch die Temperaturunterschiede entstehen in der Stickstoff-Methan-Luft eisige Stürme. Astronomen vermuteten vorübergehend, dass ein anderer Planet jenseits von Pluto kreise. Neue Berechnungen zeigen, dass ein neunter Planet wohl nicht existiert. Aber Tausende kleiner Eiskometen ziehen jenseits von Pluto, im sogenannten Kuiper-Gürtel, ihre Bahn. Manche Astronomen fragen sich heute, ob man Pluto überhaupt einen Planeten nennen kann – ob er nicht vielmehr zum Kuiper-Gürtel gehört. Vielleicht ist Pluto nicht der kleinste Planet des Sonnensystems, sondern das größte Objekt im Kuiper-Gürtel.

Pluto von innen

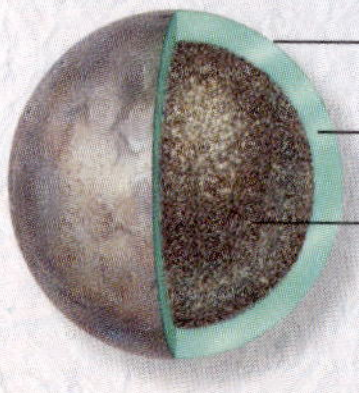

Der schlappohrige Pluto erschien erstmals 1930 als Comic Figur. Walt Disney benannte den Hund der Mickey Mouse nach dem Planeten Pluto, der gerade entdeckt worden war.

INSIDESTORY

Planet X entdecken

Clyde Tombaugh entdeckte Pluto um vier Uhr nachmittags am 18. Februar 1930. Das Lowell-Observatorium in Arizona hatte Tombaugh angestellt, um nach einem neunten Planeten, genannt Planet X, zu suchen. Nachts fotografierte er Himmelsabschnitte, und tagsüber suchte er die Fotos nach ungewöhnlichen, beweglichen Objekten ab. „Plötzlich entdeckte ich einen schwach leuchtenden Punkt. Immer wieder verglich ich die Bilder. Oh! Ich sollte wohl besser einen Blick auf meine Armbanduhr werfen und die Zeit notieren, denn dies war ein historischer Moment." Tombaugh ging zum Direktor. „Dr. Slipher, ich habe den Planeten X gefunden."

Das beste Bild, das wir von Pluto haben, aufgenommen vom Hubble-Teleskop, zeigt verschwommene dunkle Flächen und helle Polkappen.

WÖRTERBUCH

Die elfjährige Venetia Burney aus Oxford, England, schlug 1930 vor, den neuen Planeten nach dem griechischen Unterweltgott **PLUTO** zu nennen.

Als James Christy 1978 Plutos Mond entdeckte, nannte er ihn **CHARON**, nach dem Fährmann in der griechischen Mythologie, der die Toten über den Fluss Styx in die Unterwelt ruderte.

SCHON GEWUSST?

Plutos Tag (eine Umdrehung um seine Achse) und Monat (eine Umdrehung von Charon um Pluto) sind gleich lang – sechs Erdtage und neun Stunden.

Die Atmosphäre von Pluto gefriert jeden Winter zu Methanschnee.

Signale von einem Raumschiff würden von Pluto bis zur Erde ungefähr 6 Stunden brauchen.

WEGWEISER

- Haben Raumschiffe die anderen Planeten besucht? Lies nach auf S. 16–17.
- Wie groß ist Pluto im Vergleich zur Sonne? Lies nach auf S. 23.
- Pluto könnte wie Triton aussehen. Lies nach auf S. 40–41.
- Was liegt hinter dem Kuiper-Gürtel? Lies nach auf S. 44–45.

Kein Raumschiff hat je Pluto besucht, doch das kann sich ändern, wenn die Mission Pluto-Kuiper-Express irgendwann in näherer Zukunft gestartet werden kann. Nach einer zehnjährigen Reise wird ein kleines Raumschiff an Pluto, der rötlichen Welt auf dem Bild, und Charon, der grauen Welt, vorbeifliegen. Ein zweites Raumschiff wird vielleicht folgen. Bevor sie weiterfliegen, um die Eisobjekte im Kuiper-Gürtel zu erforschen, wird vielleicht jedes Raumschiff eine kleine Sonde auf Pluto landen lassen.

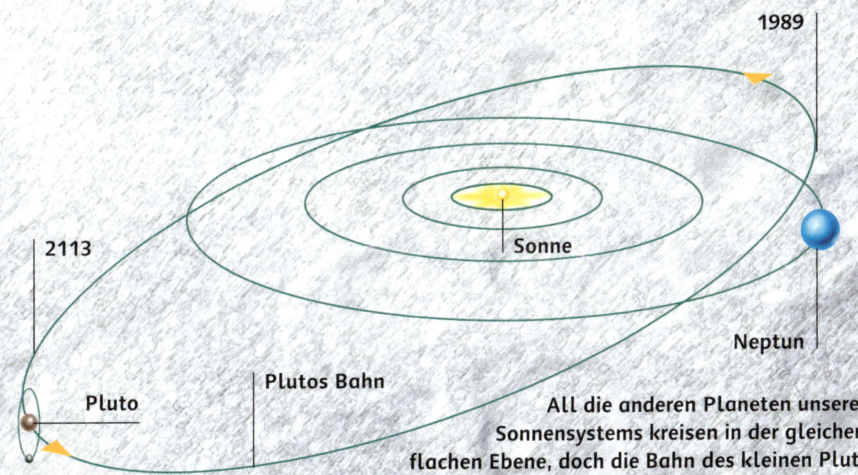

All die anderen Planeten unseres Sonnensystems kreisen in der gleichen flachen Ebene, doch die Bahn des kleinen Pluto ist elliptisch und gekippt. Während der 248 Jahre seines Umlaufs ist Pluto meist der äußerste Planet, doch manchmal bewegt er sich innerhalb der Neptunbahn. Von 1979 bis 1999 war Pluto der Sonne näher als Neptun. Im Jahr 2113 wird Pluto am fernsten Punkt seines Orbits sein – mehr als 7,3 Milliarden km von der Sonne entfernt.

DIE SPORTWAGEN-SONDE

Die Sonden, die Jupiter, Saturn, Uranus und Neptun besuchten, waren so groß wie Laster. Eine so schwere Sonde brauchte Jahrzehnte bis zum Pluto. Die beiden geplanten Pluto-Kuiper-Express werden jedoch wie schnelle Sportwagen sein – klein und leicht, damit eine Rakete sie zum Pluto schießen kann.

Voyager 2 flog 1979 an Jupiter, 1981 an Saturn, 1986 an Uranus und 1989 an Neptun vorbei.

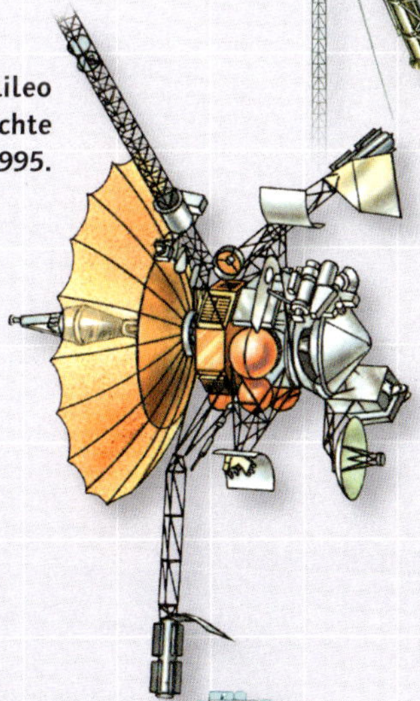

Galileo erreichte Jupiter 1995.

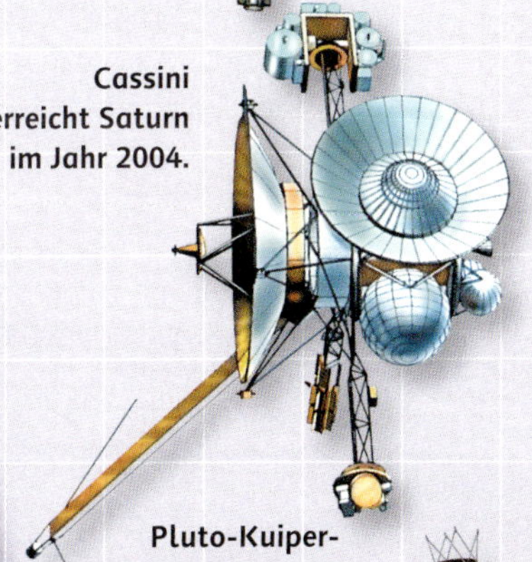

Cassini erreicht Saturn im Jahr 2004.

Pluto-Kuiper-Express fliegt irgendwann an Pluto vorbei.

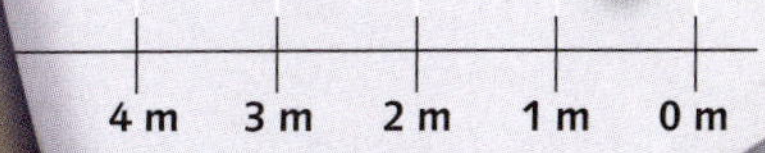

Giotto, 1986

Deep Space 4, 2005

Rosetta, 2011

Kometen

Die meisten Kometen bleiben in den Tiefen des Weltraums. Einige kreisen im Kuiper-Gürtel, gleich hinter Pluto. Andere sind weiter draußen, in der Oortschen Wolke – einem millionenfachen Kometenschwarm, der sich fast zum nächsten Stern ausdehnt. Manchmal, vielleicht nach einem Zusammenstoß mit anderen Kometen, gerät ein Komet aber in eine sonnennahe Bahn.
Nähert sich ein Komet der Sonne, beginnt er zu verdampfen. Gas- und Staubjets schießen aus dem gefrorenen Kern und bilden lange, dünne Schweife. Die meisten Kometen brauchen Jahrtausende für einen Umlauf, doch einige nähern sich der Sonne alle paar Jahre oder Jahrzehnte. Kometen haben sich seit der Entstehung des Sonnensystems kaum verändert, darum bemühen sich Forscher, in ihnen Hinweise auf dessen Geburt zu finden. So flog die Giotto-Sonde 1986 am Kern des Kometen Halley vorbei. Und 2005 hat Deep Space 4 (Tiefes Weltall 4) eine Probe von Temple 1 zur Erde gebracht.

SEI AKTIV!

Meteorschauer

Wir erleben Meteorschauer, wenn die Erde die Staubspur eines Kometen durchquert. Zu den stärksten Meteorschauern gehören die Perseiden am 12. August, die Orioniden am 22. Oktober, die Leoniden am 17. November und die Geminiden am 14. Dezember. Wenn der Mond nicht über dem Horizont steht, kann man pro Stunde zwischen 20 und 50 Meteore sehen. Die Meteore scheinen von bestimmten Himmelsregionen herzukommen – die Geminiden beispielsweise sehen aus, als kämen sie vom Sternbild Zwillinge (Gemini).

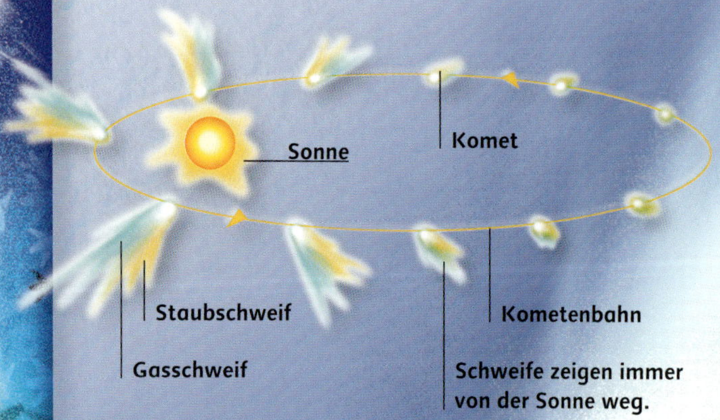

Viele Kometen haben zwei Schweife – einer besteht aus Staubteilchen, der andere aus Gas. Die Schweife können viele Millionen Kilometer lang sein. Der Strahlungsdruck der Sonne und ein Wind aus Sonnenteilchen treiben die Schweife von der Sonne weg.

BERÜHMTE KOMETEN

HALLEY
Wenn Kometen der Erde nahekommen, können wir sie am Nachthimmel sehen. Der berühmte Komet Halley erscheint alle 75 oder 76 Jahre. Zuletzt flog er 1986 an uns vorbei, und 2061 wird er wiederkommen.

HYAKUTAKE
Im März 1996 raste ein Komet, den niemand je zuvor gesehen hatte, an der Erde vorbei. Er war nur 14,5 Millionen km entfernt, und sein geisterhafter Schweif erstreckte sich fast über den halben Himmel.

WÖRTERBUCH

Wenn du einen Kometen entdeckst, wird er nach dir benannt werden – allerdings musst du ihn vielleicht mit anderen teilen. Alan Hale und Thomas Bopp waren weit voneinander entfernt, als sie 1995 gleichzeitig den gleichen Kometen erspähten. Der Komet wurde **HALE-BOPP** genannt.

SCHON GEWUSST?

Täglich schwebt tonnenweise Kometenstaub auf die Erde nieder. Wenn du sauber machst, fegst du vielleicht auch etwas Kometenstaub weg.

Der Große Komet von 1843 hatte den bisher längsten Schweif – er reichte von der Sonne bis zur Marsbahn.

Im Jahr, in dem er der Sonne am nächsten war, schossen aus Komet Hale-Bopp pro Sekunde 9 Tonnen Wasser ins All.

WEGWEISER

- Haben andere Sonden Proben aus dem All geholt? Lies nach auf **S. 16**.
- Ähneln Kometenbahnen denen von Planeten? Lies nach auf **S. 22–23**.
- Woher können Meteore sonst noch kommen? Lies nach auf **S. 34**.
- Wie sah der Komet Shoemaker-Levy 9 aus, als er in Jupiter einschlug? Lies nach auf **S. 36**.

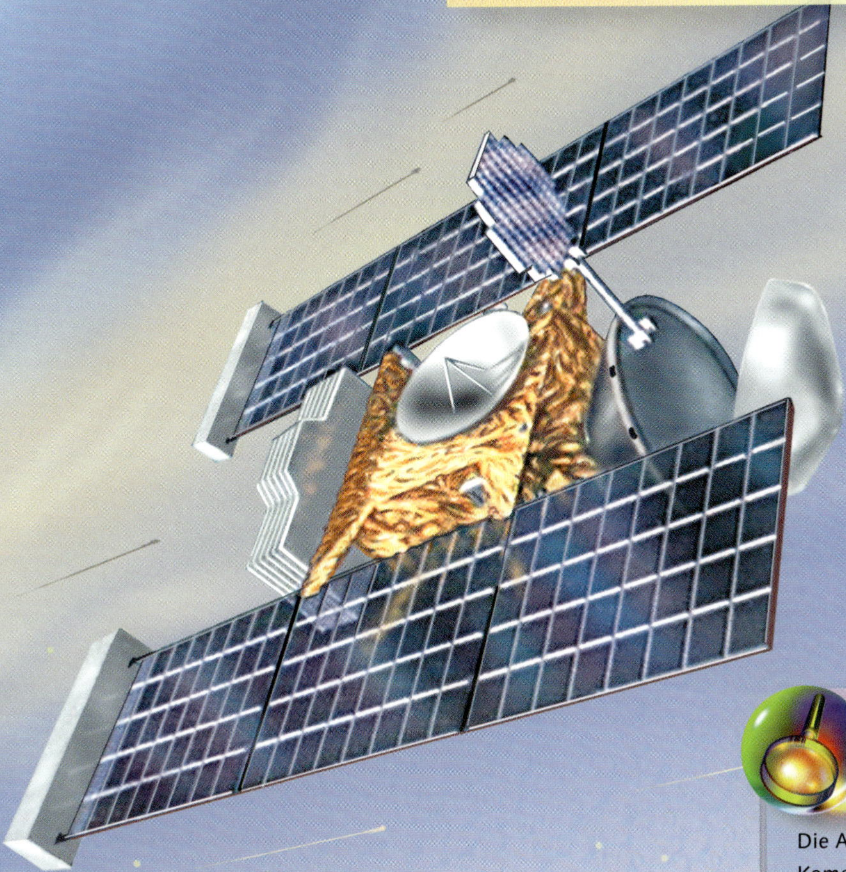

Im Januar 2004 raste die Sonde Stardust (Sternenstaub) durch den Kopf des Kometen Wild 2. Ein Instrument aus Aerogel genanntem schwammartigem Material ragte wie eine riesige Fliegenklatsche aus Stardust heraus, um den aus dem Kometenkern strömenden Staub einzufangen. Als Stardust im Januar 2006 an der Erde vorbeiflog, warf sie eine Kapsel mit dem Kometenstaub über der Wüste von Utah (USA) ab, wo Wissenschaftler schon darauf warteten.

Früher haben die Menschen geglaubt, dass Kometen Unglück ankündigten. Der 900 Jahre alte Teppich von Bayeux zeigt den Kometen Halley, als er 1066 vor der Schlacht bei Hastings in England erschien. Die lateinischen Worte bedeuten: „Sie fürchteten den Stern."

INSIDESTORY

Kometen-Suche

Die Astronomin Carolyn Shoemaker hat mehr Kometen als alle anderen gefunden. Sie entdeckt sie auf Fotografien, die sie mit einem Teleskop macht. Ihre erste Entdeckung machte sie 1983. „Ich sah Filme durch. Da! Ich wusste, es war ein Komet." Selbst nach der Entdeckung von 32 Kometen ist jeder neue Fund noch aufregend. „Ich versuche, mich zusammenzunehmen, bis wir festgestellt haben, ob der Komet schon bekannt ist. Doch wenn ich einen Kometen sehe, macht mein Herz jedes Mal einen Freudensprung."

SHOEMAKER-LEVY 9
Der Komet kam 1992 der Schwerkraft Jupiters zu nahe und zerbrach in 21 Stücke. Zwei Jahre später schlugen die Stücke auf Jupiter ein und hinterließen dunkle Brandmale auf dem Planeten.

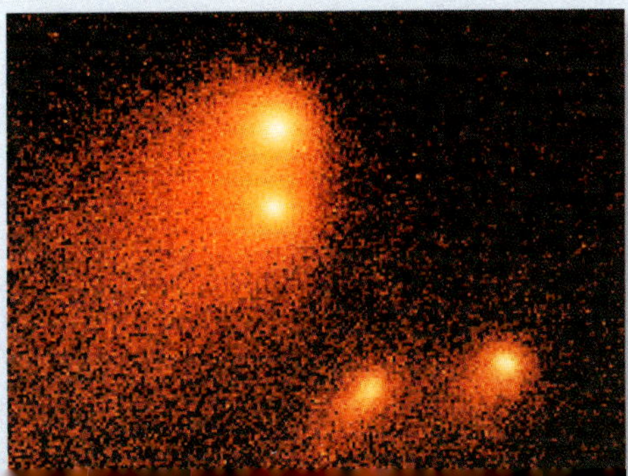

HALE-BOPP
Einer der hellsten Kometen des 20. Jahrhunderts, Hale-Bopp, zierte den Himmel der Nordhalbkugel im März und April 1997. Auf dem Foto sind der gerade, blaue Gasschweif und der breitere, gelbweiße Staubschweif zu sehen.

Unser Universum

Hinter unserem Sonnensystem wartet das Universum. Lass uns die Sterne besuchen und sehen, wie sie sich im Lauf ihres Lebens verändern. Suche nach Sternen, die ihre eigenen Planetenfamilien haben. Flieg in einen Nebel – eine riesige Wolke aus Gas und Staub – und erlebe die Geburt eines Sterns. Reise an den Sternen unseres Himmels vorbei und blicke auf die Spiralarme unserer Galaxie, der Milchstraße, zurück. Flieg weiter bis zu einer anderen Galaxie – einer von 50 Milliarden im Universum. Aber pass auf – im Zentrum der Galaxie könnte ein riesiges Schwarzes Loch lauern. Beende schließlich deine Reise am Anfang aller Zeit und entdecke, wie unser Universum entstanden ist.

Seite **48**
Wer sieht ein Krokodil in den Sternen? Wie heißt dieses Sternenmuster? Lies nach bei **Sternbilder**.

Seite **50**
Wie wird ein Stern geboren? Wie finden Astronomen um Sterne herum Planeten? Lies nach bei **Leuchtende Sterne**.

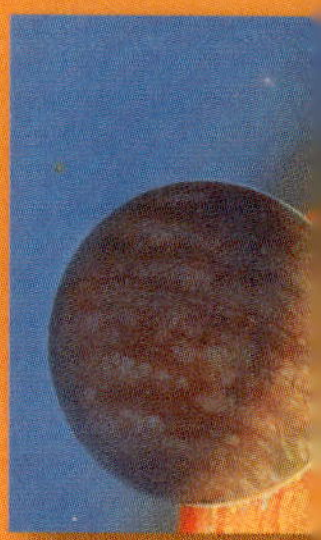

Seite **52**
Wann lebten die Dinosaurier? Lies nach bei **Unser Planet Erde**.

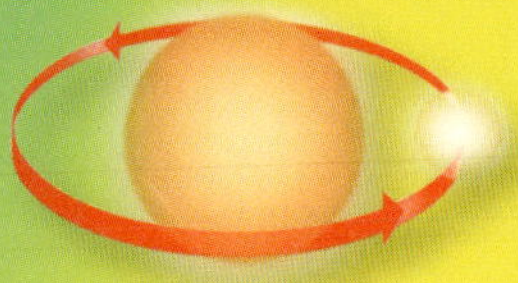

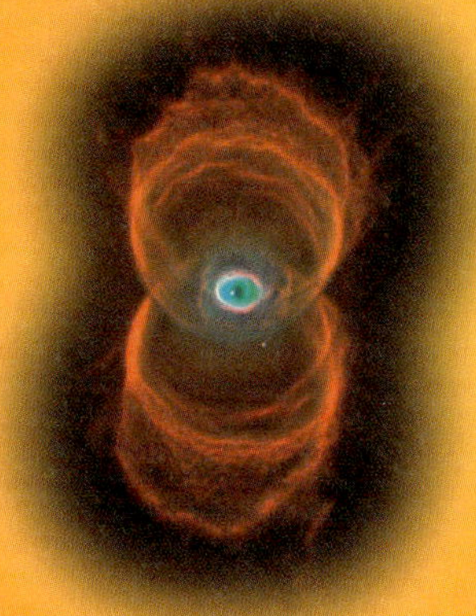

Seite **54**

Was geschieht im Innern dieser Gassäule?
Wie ist diese bizarre Form entstanden?
Lies nach bei **Nebel**.

Seite **56**

Warum gleicht die Milchstraße einer fliegenden Untertasse?
Welche Art von Galaxie ist dies?
Lies nach bei **Unsere Galaxie**.

Seite **58**

Was schießt aus dieser Galaxie heraus?
Was geschähe, wenn du in ein Schwarzes Loch fielest?
Lies nach bei **Schwarze Löcher**.

Seite **60**

Wie begann das Universum?
Wie könnte das Universum enden?
Lies nach bei **Das Universum**.

Sternbild Orion | Tsan, chinesischer Krieger | Kanu der Maori | Osiris, ägyptischer Gott | Riesenkrokodil eines Amazonasstamm

Sternbilder

Lange Zeit haben sich die Menschen vorgestellt, dass manche Sterngruppen die Umrisse von Tieren, Helden und Göttern bildeten. Das sind die Sternbilder. Die meisten Sterne in einem Sternbild sind in Wirklichkeit Lichtjahre voneinander entfernt – sie scheinen nur nah beieinander zu sein.

Nicht alle Völker ordnen die Sterne zu denselben Sternbildern an. Die alten Griechen sahen im Orion einen Jäger, aber die Ägypter hielten dieselben Sterne für den Gott Osiris. In China waren dieselben Sterne der Krieger Tsan. Die neuseeländischen Maoris sehen ein Kanu in Orions Sternen, während ein Amazonas-Stamm sie als Riesenkrokodil deutet. Mithilfe der Sternbilder wurden früher Schiffe geführt und Kalender erstellt. Astronomen teilen den Himmel in 88 Sternbilder ein. Die meisten kommen aus griechischen Mythen, ein paar wurden auch erst in neuerer Zeit benannt. Man kann nicht alle 88 Sternbilder in einer Nacht sehen – das hängt vom Wohnort, der Nachtzeit und der Stellung der Erde bei ihrem Umlauf um die Sonne ab.

Wenn du dich auf der nördlichen Halbkugel befindest, sind dies die hellen Sterne, die du irgendwann im Verlauf eines Jahres dort sehen kannst. Stell dich mit dem Gesicht nach Süden und drehe die Karte so, dass der laufende Monat unten vor dir ist. Die Sterne, die du am Himmel sehen kannst, befinden sich in der unteren Hälfte der Karte. Die nahe am Horizont stehenden sind am Rand der Karte. Die Sterne über und hinter dir liegen zur Mitte der Karte hin.

Der Jäger Orion steigt am nördlichen Januarhimmel hoch. Die drei Gürtelsterne des Orion zeigen zu Sirius hinunter, den hellsten Stern am Nachthimmel.

In der griechischen Mythologie war Orion der Sohn Neptuns und ein großer Jäger. Als Orion sich damit brüstete, er werde jedes Tier der Erde erlegen, schickte Gaia, die Erdgöttin, einen Skorpion, der ihn tötete.

Großer Schöpflöffel nennen die Amerikaner die sieben hellsten Sterne im Sternbild Großer Bär, die wir Großer Wagen nennen. In England heißt dieses Sternmuster Pflug.

WÖRTERBUCH

Während des jährlichen Erdumlaufs um die Sonne wandert die Sonne scheinbar durch eine Zone von 12 Sternbildern, den Tierkreis oder **ZODIAK**. Das Wort kommt von Griechisch zoidiakos und heißt „Tierbild". Sieben Sternbilder sind nach Tieren benannt, vier andere nach Menschen. Das Zeichen Waage ist das einzige, das nicht nach einem Lebewesen benannt ist.

SCHON GEWUSST?

In einer klaren, mondlosen Nacht, weit weg von städtischen Lichtern, kann man mit bloßem Auge über 2000 Sterne sehen.

Die meisten Sternbilder sind so alt, dass niemand mehr weiß, wer sie entdeckte oder benannte. Von Bildern auf Tontafeln wissen wir, dass vor 5000 Jahren die Sumerer einige Sternbilder genauso sahen wie wir heute.

WEGWEISER

- Brauchst du ein Teleskop, um Sternbilder zu sehen? Lies nach auf S. 10.
- Woraus bestehen die Sterne? Lies nach auf S. 50–51.
- Zu welcher Galaxis gehören die Sterne der Sternbilder? Lies nach auf S. 56–57.

Dies sind die hellen Sterne der Südhalbkugel, solche, die du von Australien, Neuseeland, Südamerika und dem südlichen Afrika aus sehen kannst. Stelle dich nach Norden und drehe die Karte so, dass der laufende Monat unten steht. Nahe am Horizont stehende Sterne findest du am Kartenrand. Sterne über und hinter dir liegen zur Kartenmitte hin.

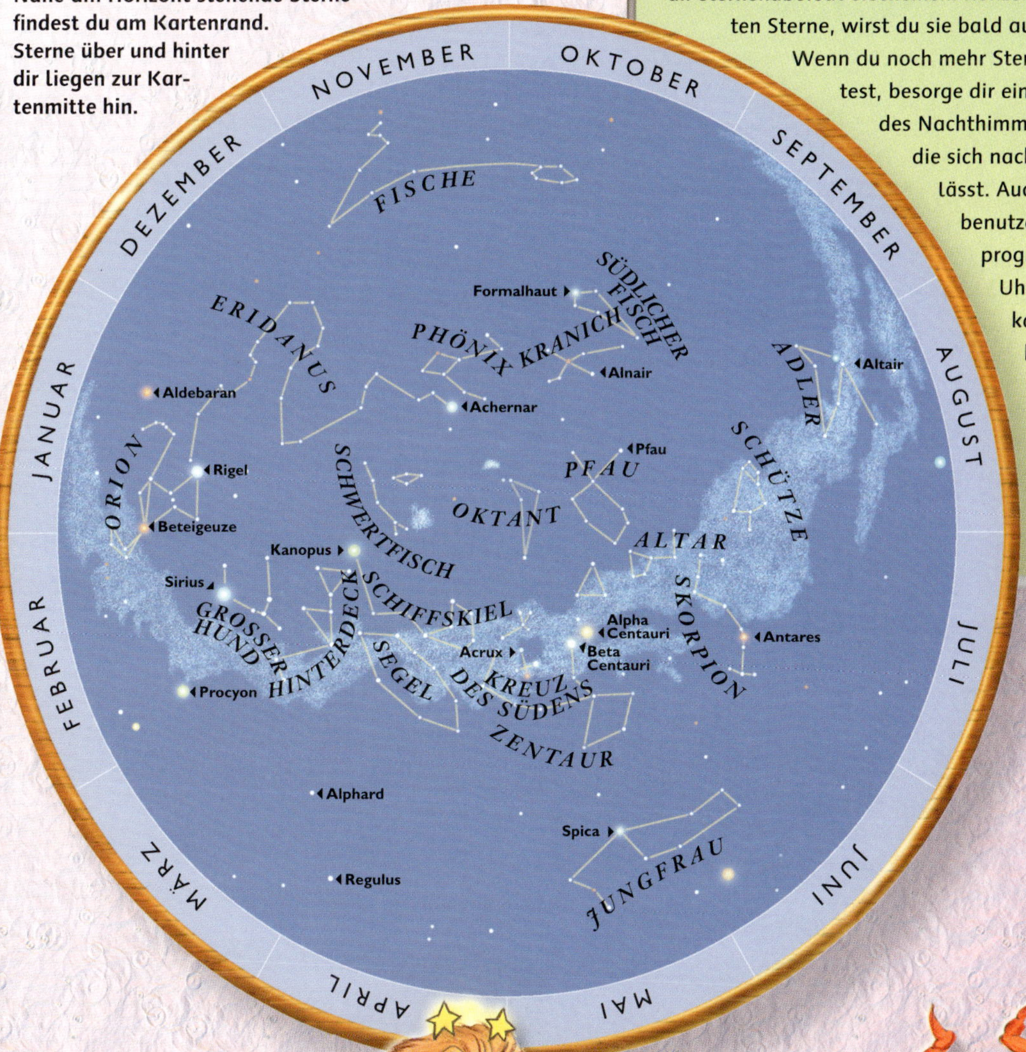

SEI AKTIV!

Sterne beobachten

Wenn du zum ersten Mal bewusst zum Nachthimmel blickst, mag er dir sternenübersät erscheinen. Konzentrierst du dich aber auf die hellsten Sterne, wirst du sie bald auf diesen Sternkarten entdecken. Wenn du noch mehr Sterne und Sternbilder finden möchtest, besorge dir eine Planisphäre – eine runde Karte des Nachthimmels mit einer drehbaren Scheibe, die sich nach Datum und Uhrzeit verstellen lässt. Auch kannst du einen Sternatlas benutzen. Mit speziellen Computerprogrammen kannst du dir für jede Uhrzeit und jeden Ort eine Sternkarte ausdrucken. Helles Licht kann die Sicht stören, suche dir also einen dunklen Beobachtungsort und bedecke die Taschenlampe mit rotem Zellophan.

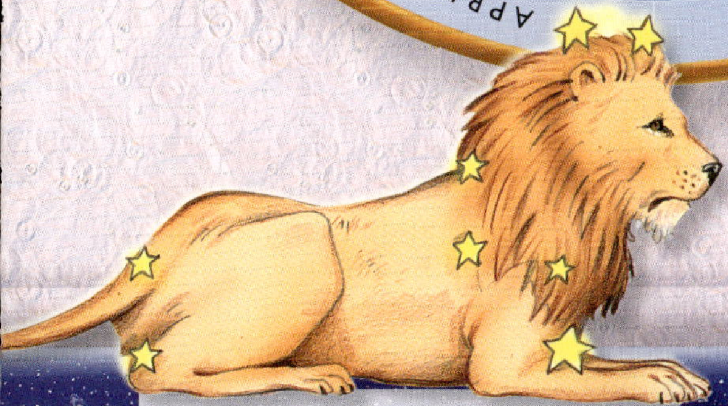

In diesem Sternbild sah man schon seit alten Zeiten einen Löwen. Die sechs hellen Sterne, die wie ein umgedrehtes Fragezeichen aussehen, umreißen den Löwenkopf. Das Sternbild Löwe gehört zum Tierkreis.

Viele Völker sahen diese Sterne als Skorpion. In der griechischen Mythologie ist es ein Skorpion, der Orion tötete. Die beiden Todfeinde treffen sich nie am Himmel – wenn einer aufgeht, geht der andere unter. Skorpion ist eines der Tierkreissternbilder.

blauer Stern, am heißesten weißer Stern, heiß gelber Stern, mittelheiß oranger Stern, kühl roter Stern, am kühlsten

Leuchtende Sterne

Tagsüber siehst du nur einen Stern am Himmel – die Sonne. Nachts, wenn das helle Sonnenlicht verschwunden ist, kannst du Hunderte anderer Sterne sehen. Sie sind Kugeln aus heißem Wasserstoff wie unsere Sonne, doch sie sind so weit weg, dass jeder nur wie ein kleiner Lichtpunkt aussieht.

Sterne gibt es in vielen Farben und Größen. Unsere Sonne ist ein gelber Stern mit einer Oberflächentemperatur von 6000 °C. Das ist heiß – aber weiße und blaue Sterne sind noch heißer. Orange und rote Sterne sind dagegen kühler. Sterne können von durchschnittlicher Größe wie unsere Sonne sein, aber auch Riesen oder Zwerge. Wäre die Sonne so groß wie ein Strandball, hätten helle Riesensterne die Größe einer Kleinstadt, und schwach leuchtende Zwerge wären nur erbsengroß.

Einige Sterne, wie die Sonne, wandern allein durchs All, aber die meisten sind Mehrfachsterne, die aus zwei oder mehreren dicht benachbarten Sternen bestehen. Wie die Sonne haben einige Sterne Planeten.

Astronomen vermuteten, dass andere Sonnensysteme so aussähen wie unseres – mit kleinen, festen Planeten nahe bei einem Stern und kalten Gasriesen dahinter. Zu ihrem Erstaunen entdeckten sie Sonnensysteme, in denen jupiterähnliche Planeten so nahe bei ihrem Stern kreisten wie Merkur um unsere Sonne. Ob diese fremden Sonnensysteme auch kleine Gesteinsplaneten wie unsere Erde besitzen, ist unbekannt.

SEI AKTIV!

Warum Sterne funkeln

Weißt du, warum Sterne funkeln? Führe diesen Versuch durch.

1. Knülle kleine Stückchen Aluminiumfolie als Sterne zusammen. Lege die Sterne auf ein Stück dunkle Pappe.
2. Gieße Wasser in eine große Glasschüssel, bis sie drei viertel voll ist. Stelle die Schüssel auf die silbernen Sterne.
3. Verdunkle den Raum und leuchte mit einer Lampe in die Schüssel.
4. Schlage gegen den Schüsselrand. Das Wasser gerät in Bewegung, und die Sterne sehen für einen Augenblick verwischt aus.

So wie das von der Folie zurückgeworfene Licht sich mit dem Wasser bewegt, trifft das Sternenlicht in der Erdatmosphäre auf bewegte Luftschichten, die das Licht hin- und herwerfen. Dadurch sehen die Sterne aus, als ob sie funkelten. Säßest du im Hubble-Weltraumteleskop außerhalb der Erdatmosphäre, würden die Sterne gleichmäßig leuchten.

EINE STERNGESCHICHTE

Sterne werden geboren, leben Jahrmilliarden und sterben. Dabei verändern sie ihre Größe und Temperatur, während sie ihren Wasserstoff verbrauchen. Hier der Lebenszyklus eines durchschnittlichen Sterns wie die Sonne.

Eine Gas- und Staubwolke, Nebel genannt, beginnt zu schrumpfen. Durch die Gravitation heizt sich der Kern auf.

Das Zentrum des Nebels wird so heiß, dass Wasserstoff in Helium umgewandelt wird, wobei Energie frei wird. Der Stern beginnt zu strahlen.

Viele Jahrmilliarden strahlt der Stern gleichmäßig Licht und Wärme a

WÖRTERBUCH

Einige Sternnamen sind griechisch – **ARKTURUS** (und das Wort Arktis) kommt vom griechischen arktos, was „Bär" bedeutet. **SIRIUS**, von griechisch Seirios, heißt „der Leuchtende".

Andere Sternnamen stammen aus dem Arabischen – **BETEIGEUZE** kommt von yad al-jauza, „die Hand des Riesen", und **RIGEL** von rijl, „Fuß".

SCHON GEWUSST?

Ein Apollo-Raumschiff bräuchte für den Flug zum Mond nur drei Tage, aber es bräuchte 850000 Jahre, um zum nächsten Stern zu kommen.

Könntest du einen Teelöffel voll Materie eines Weißen Zwergs zur Erde bringen, wöge sie mehrere Tonnen.

WEGWEISER

- Warum suchen wir nach extrasolaren Planeten? Lies nach auf **S. 18–19**.
- Was macht die Sonne zu einem besonderen Stern? Lies nach auf **S. 28–29**.
- Wie kannst du Sterne finden? Lies nach auf **S. 48–49**.
- Welche Sterne beenden ihr Leben mit einem Knall? Lies nach auf **S. 52–53**.

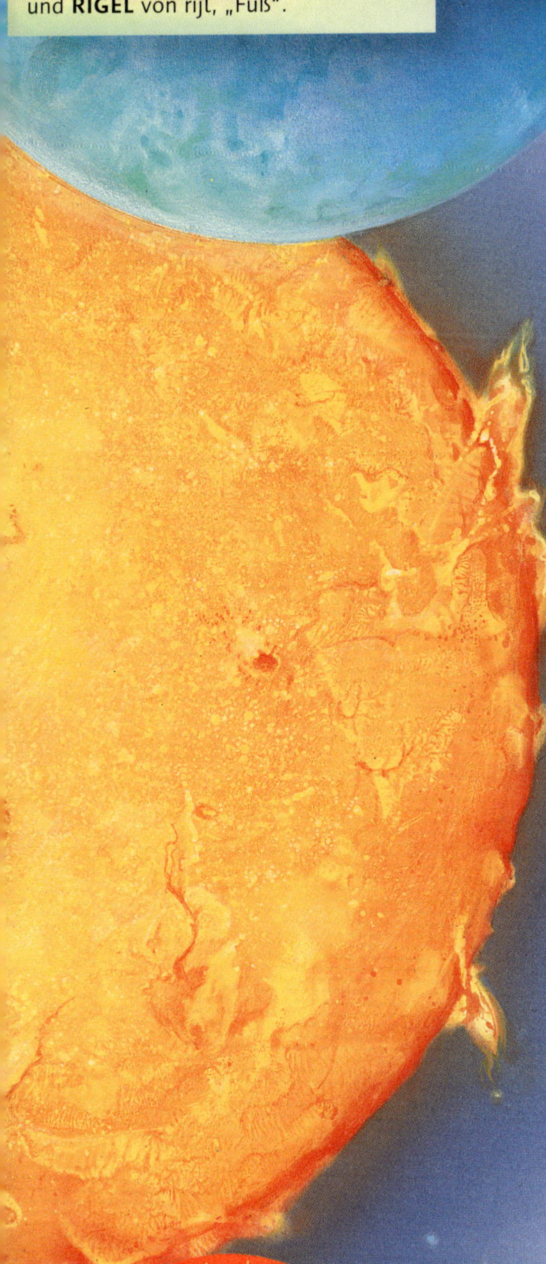

INSIDESTORY

Planetenjäger

Wie findet man fremde Planeten? „So wie ein angeleinter Hund sein schweres Herrchen herumwirbelt, bringt ein Planet seinen Stern zum Schwingen", erklären Paul Butler und Geoff Marcy. Die beiden fanden als Erste Planeten, die andere Sterne umkreisen. Sie wiesen winzige Schlingerbewegungen von Sternen nach, die durch die Anziehungskraft von jupiterähnlichen Planeten verursacht werden. Ihre Entdeckungen machten sie berühmt. „Wir bekamen Anrufe von allen möglichen Zeitungen und Fernsehsendern." Heute suchen die beiden weltweit mit Teleskopen nach erdähnlichen Planeten um 800 nahe, sonnenähnliche Sterne. „In sechs Jahren werden wir wissen", so Marcy, „ob unser Sonnensystem einzigartig ist."

Jeder Kugelsternhaufen unserer Galaxis besteht aus einer Million alter Sterne.

Die Plejaden (auch Siebengestirn genannt) sind erst 50 Millionen Jahre alt. Sie sind einer von Hunderten offener Sternhaufen in den Spiralarmen unserer Galaxis.

Irgendwann sind die Wasserstoffvorräte des Sterns erschöpft. Er schwillt zu einem Roten Riesen an.

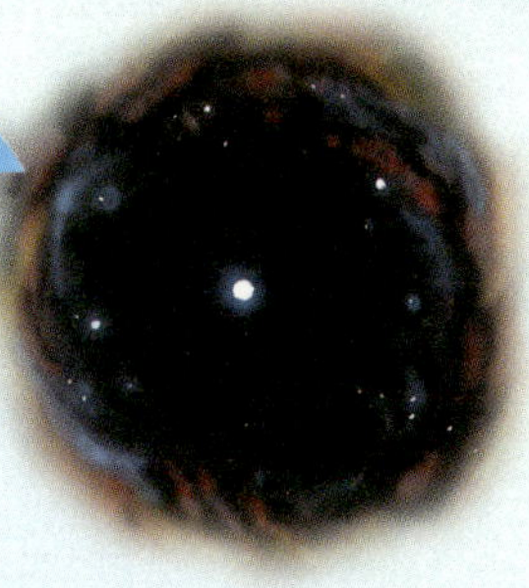

Der alternde Stern schleudert seine äußeren Schichten mit Explosionen von sich fort. Die Hüllen werden zu einer farbigen Gaswolke – einem planetarischen Nebel – um den Stern.

Der Rest des Sterns schrumpft auf die Größe der Erde. Dieser heiße Weiße Zwerg wird noch Jahrmillionen strahlen.

Erde

Weißer Zwerg, etwas kleiner als die Erde

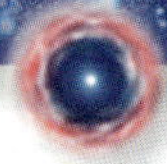

Neutronenstern, viel kleiner als die Erde

Veränderliche Sterne

Unsere Sonne scheint beständig Jahr für Jahr, doch nicht alle Sterne sind so stabil. Manche alte Sterne verändern alle paar Tage ihre Größe, werden heller, wenn sie sich aufblähen, und blasser beim Schrumpfen. Man nennt sie Bedeckungsveränderliche. Andere Sterne verändern sich, weil sie zu Doppelsternsystemen gehören. Manche Doppelsterne sind so nah beieinander, dass ein Stern Gase aus dem anderen zu sich reißt. Der gierigere Stern holt sich so viel Material, dass es zu einer Nova genannten Explosion kommt. Danach reißt der Stern weiter Gasmassen an sich. Manche hungrige Sterne holen sich so viel, dass sie in einer Supernova verglühen, einer der gewaltigsten Explosionen der Natur. Der Stern wird dabei völlig zerstört.
Supernovas können auch das Leben eines Riesensterns beenden. Ist dessen Brennstoff verbraucht, wird sein Kern zu einem Neutronenstern oder einem Schwarzen Loch. Neutronensterne sind extrem dichte Kugeln, die sich sehr schnell drehen. Schwarze Löcher verschlingen alles, was in ihre Nähe kommt – selbst das Licht.

Eta Carina ist am Ende seines Lebens. Dieser Riesenstern schleuderte 1841 zwei Gaswolken von sich, die seither immer größer wurden. Hier sind sie auf einem 1993 vom Hubble-Teleskop gemachten Foto zu sehen. Irgendwann in den nächsten Jahrtausenden wird der Stern mit einem Supernova-Ausbruch explodieren. Dann werden wir ihn so hell wie Venus am Nachthimmel sehen.

INSIDESTORY

Tychos Stern

„Als ich die Sterne beobachtete, sah ich einen neuen Stern, der heller war als die anderen, neben meinem Kopf auftauchen. Ich war darüber so verwundert, dass ich meinen Augen nicht traute." Der neue, von Tycho Brahe 1572 entdeckte Stern war deshalb so überraschend, weil man damals glaubte, Sterne veränderten sich nie. Durch sorgfältige Beobachtungen wies Tycho Brahe nach, dass seine Supernova weit hinter dem Mond im Reich der Sterne lag. Von Tychos Stern ist heute nur noch eine Gaswolke, ein Supernova-Rest (links) übrig. Sie ist nur von Röntgenteleskopen auszumachen.

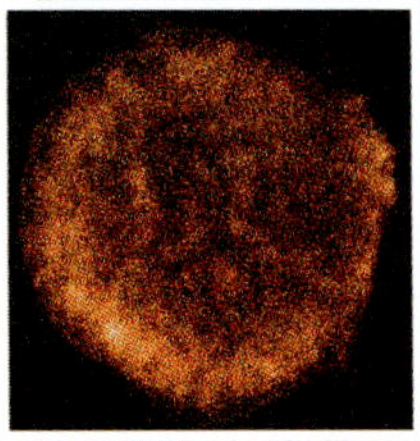

Bedeckungsveränderliche drehen sich umeinander, als ob sie miteinander tanzten. Wenn ein Stern hinter dem anderen verschwindet, sieht das Paar am Himmel dunkel aus. Kommt der Stern wieder hervor, leuchtet das Paar wieder.

Alle paar Tage oder Wochen plustern sich Sterne auf, kühlen dann ab und schrumpfen. Dabei erhitzen sie sich und blähen sich wieder auf. Astronomen haben Tausende dieser Veränderlichen Sterne entdeckt. Indem sie ihre Schwankungen messen, können sie berechnen, wie weit die Sterne entfernt sind.

WÖRTERBUCH

Ein Bedeckungsveränderlicher, dessen Helligkeit sich periodisch ändert, ist **ALGOL**, von arabisch al-ghul für einen Dämon. In der griechischen Mythologie ist Algol das blinzelnde Auge im schlangenbehaarten Kopf einer Frau namens Gorgo oder Medusa. Der Sage nach versteinerte ihr Anblick.

SCHON GEWUSST?

Einige Neutronensterne senden Strahlungsblitze aus, während sie rotieren. Wenn Astronomen diese Pulse entdecken, nennen sie den Stern Pulsar.

Eine Supernova setzt in wenigen Tagen so viel Energie aus wie unsere Sonne in den 10 Milliarden Jahre ihres Lebens.

WEGWEISER

- Wie trugen Veränderliche dazu bei, das All auszudehnen? Lies nach auf **S. 9**.
- Welcher Supernova-Rest sieht wie ein Krebs aus? Lies nach auf **S. 55**.
- Willst du mehr über Schwarze Löcher wissen? Lies nach auf **S. 58–59**.

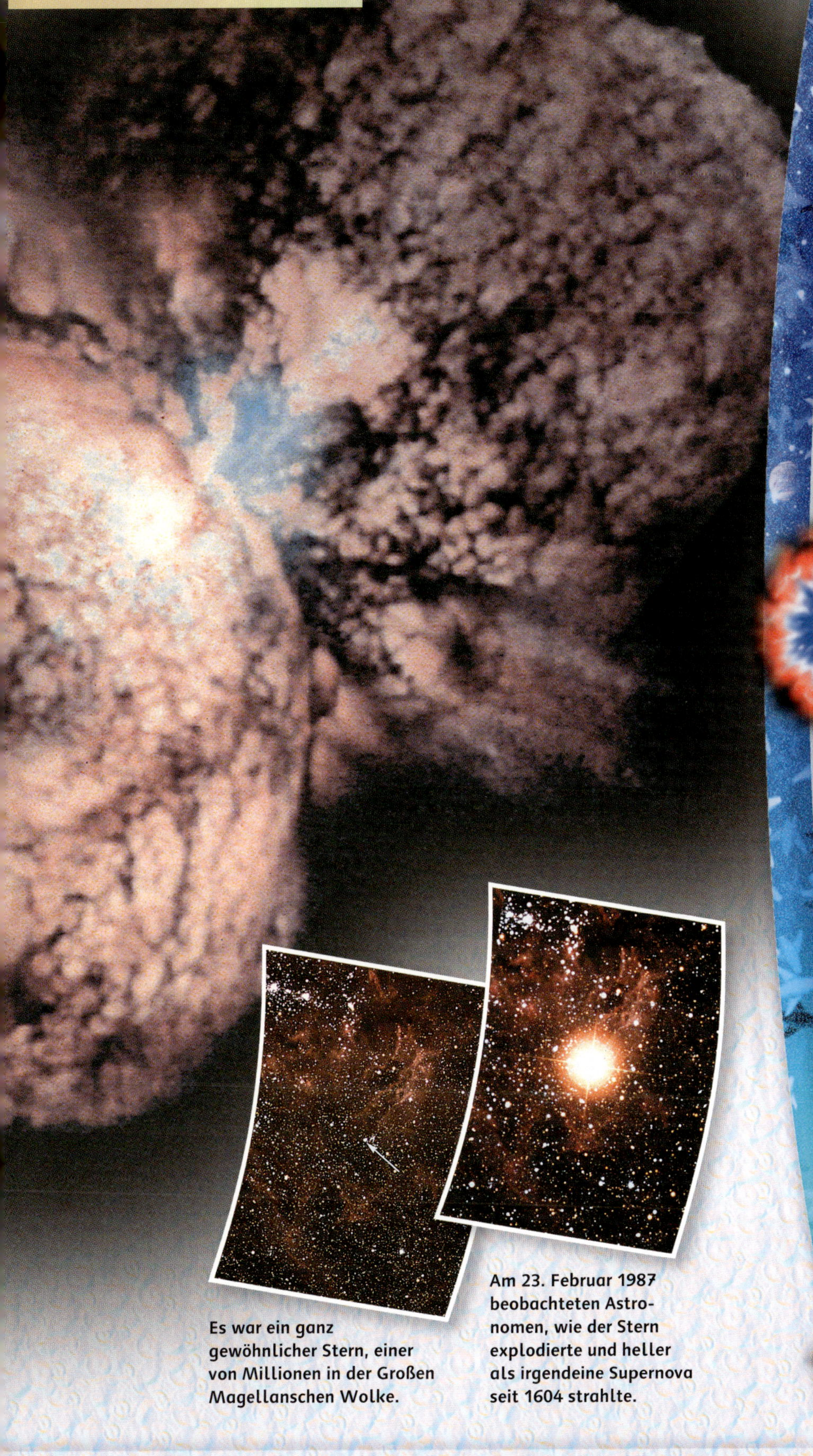

SUPERNOVAS

Supernovas sind Sterne, die sich in gigantischen Explosionen zersprengen und Wolken mit Sternmaterie ausspeien. Zwei Arten von Sternen können als Supernovas explodieren.

Ein blauer Riese schwillt zu einem roten Überriesen an. Dem aufgedunsenen Stern geht in seinem Kern der Brennstoff aus. In Sekunden fällt er zu einem dichten Neutronenstern oder Schwarzen Loch zusammen.

Die Schwerkraft eines Weißen Zwergs zieht Gasmassen von seinem Begleitstern ab. Der Weiße Zwerg wird zu schwer und kollabiert. Die einsetzende Kernfusion reißt den hungrigen Stern in Stücke und schleudert die Sterntrümmer ins Weltall.

Es war ein ganz gewöhnlicher Stern, einer von Millionen in der Großen Magellanschen Wolke.

Am 23. Februar 1987 beobachteten Astronomen, wie der Stern explodierte und heller als irgendeine Supernova seit 1604 strahlte.

NGC 604, Sterngeburt-Nebel

Katzenauge, Sterntod-Nebel

Nebel

Zwischen den Sternen des Universums sind Gasatome und Staubteilchen locker verstreut. Wie Wasserdampf in unserer Atmosphäre sammelt sich ein Teil dieser Sternmaterie zu Wolken, sogenannten Nebeln. Durch die Schwerkraft werden manche Nebel so dicht, dass aus den kühlen, dunklen Wolken Sterne kondensieren, wie Regentropfen in Regenwolken.

Nach ihrer Entstehung wandeln Sterne Wasserstoff- und Heliumatome in Dutzende anderer chemischer Elemente um. Am Ende ihres Lebens stoßen Sterne planetarische Nebel und Supernovareste ins All. Diese Sterntod-Nebel bringen die in den Sternen entstandenen Elemente in den Raum, wo sie später ihren Weg in andere Nebel finden. Wie kosmische Recycling-Anlagen bilden diese anderen Nebel, angereichert mit der Materie aus älteren Sternen, neue Sterne, neue Planeten – und neues Leben. Sauerstoff, Kohlenstoff, Eisen und all die anderen Elemente in deinem Körper kamen von Sternen, die vor Jahrmillionen lebten und starben.

INSIDESTORY

Sternfotograf

„Wir können Sterne weder hören noch riechen oder anfassen. Wir können sie ja kaum sehen", erklärt David Malin und schiebt eine große gläserne Fotoplatte ein. Mit dem Anglo-australischen Teleskop als Kamera nimmt er einen Nebel auf, der so lichtschwach ist, dass die Belichtung eine Stunde dauern wird. Warum macht er sich die Mühe? Für Malin ist die Antwort einfach. „Astronomische Bilder belegen die Schönheit und die endlose Vielfalt der Natur. Fotos führen auch zu Entdeckungen. Eine einstündige Fotografie kann mehr enthüllen, als Auge und Teleskop es je könnten." Die Fotos von den Trifid- und Pferdekopf-Nebeln sind zwei von Malins „kosmischen Landschaften".

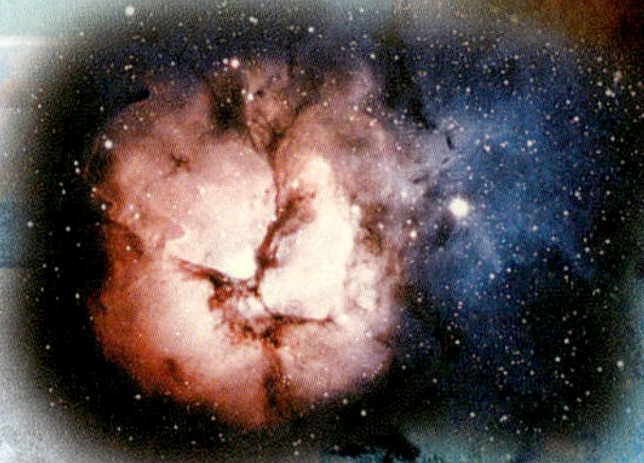

Helle Nebel werden von Sternen in ihrem Inneren erleuchtet. Die Energie der Sterne lässt die Gase in Rot-, Grün- und Blautönen glühen. Dieser helle Nebel, der Trifid, ist 3500 Lichtjahre entfernt.

Andere Sternentstehungsnebel bestehen aus dunklen Staubwolken, die das Licht von fernen Sternen verdecken. Dieser dunkle Nebel heißt Pferdekopfnebel.

WÖRTERBUCH

NEBULA ist das lateinische Wort für „Wolke“. Als Astronomen anfingen, Teleskope zu benutzen, nannten sie jeden undeutlichen Fleck, der nicht wie ein Stern aussah, Nebula. Bei uns wurde daraus „Nebel“. Heute wissen wir, dass viele dieser „Nebel“ keine Gaswolken in unserer Galaxie sind. Sie sind Galaxien, die aus Milliarden Sternen bestehen.

SCHON GEWUSST?

Die Gasmassen der Wolken um den Orionnebel reichen aus, um 10000 Sonnen zu bilden.

Die Elemente Wasserstoff und Helium machen 99 Prozent des Universums aus. Das restliche 1 Prozent – die Elemente, die Planeten und Leben bilden – entstanden zuerst im Innern der Sterne.

WEGWEISER

- Wo ist das Hubble-Weltraumteleskop? Lies nach auf **S. 10–11**.
- Wie kann ein Nebel zu einem Sonnensystem werden? Lies nach auf **S. 23**.
- Welche Sternart endet als planetarischer Nebel? Lies nach auf **S. 50–51**.
- Wie entsteht der Überrest einer Supernova? Lies nach auf **S. 53**.

SEI AKTIV!

Der Orionnebel

Der Orionnebel ist eine Wolke aus staubhaltigen Gasen, in der neue Sterne entstehen. Die jungen Sterne lassen den Nebel leuchten.

Den Orionnebel findest du im Sternbild des Jägers Orion mithilfe der Sternkarten auf S. 48–49. In der Mitte von Orion ist eine Reihe von drei Sternen, der Gürtel des Jägers. Unter dem Gürtel ist das Schwert des Jägers, das aus drei lichtschwächeren Sternen besteht. Durch das Fernglas kannst du erkennen, dass der mittlere Stern des Schwerts viel diffuser als die anderen ist. Das ist kein Stern, sondern der Orionnebel. Auf Fotos sieht der Nebel rot aus, aber durch das Fernglas nur grau. Der Grund: Unsere Augen können die wahren Farben von Sternen und Nebeln nicht sehen.

Der 7000 Lichtjahre entfernte Adlernebel ist voller junger Sterne. Ein Foto von David Malin (oben) zeigt den ganzen Nebel. Das Hubble-Weltraumteleskop blickte tief in den Nebel hinein. Sein scharfes Bild (links) zeigt Säulen aus Gas und Staub, die sich ein Lichtjahr hochtürmen. An den Säulenspitzen werden neue Sterne geboren. Unsere Sonne und Planeten bildeten sich vor 5 Milliarden Jahren aus einem ähnlichen Nebel.

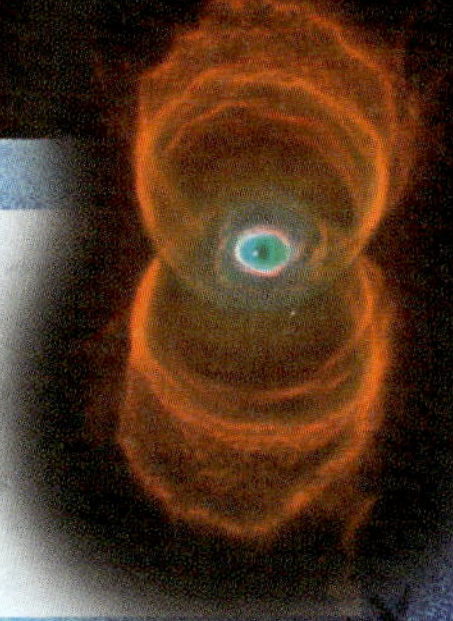

Sterbende Sterne stoßen oft ihre äußeren Schichten ab, die zu Gasblasen werden wie dieser Sanduhrnebel. Weil diese Nebel durch frühe Teleskope wie Planeten aussahen, nannten Astronomen sie planetare Nebel.

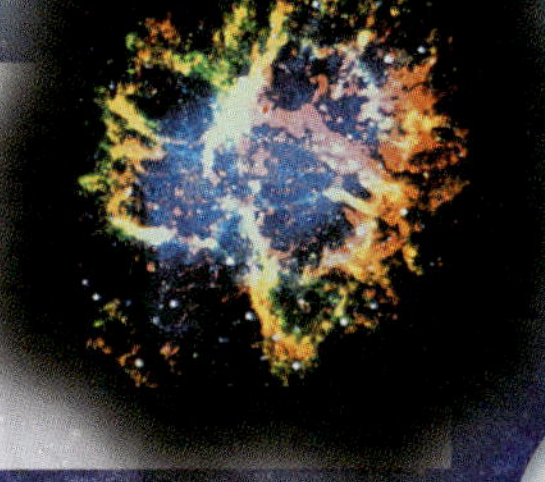

Der Krebsnebel ist der Überrest eines Supernova-Sterns, dessen Explosion 1054 beobachtet wurde. Solche Supernova-Reste reichern eine neue Sternengeneration an.

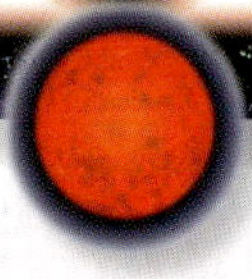

Beteigeuze, Stern

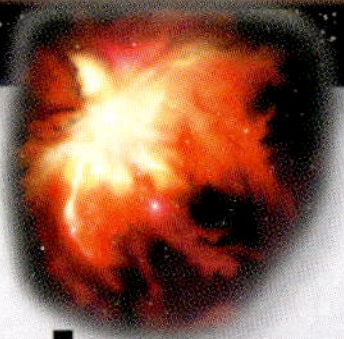

Orionnebel, Gaswolke

Unsere Galaxie

Das Milchstraßensystem, unsere Galaxie, besteht aus 200 Milliarden Sternen und ist so breit, dass ein Lichtstrahl für ihre Durchquerung 100 000 Jahre braucht. Sternenübersäte Spiralarme drehen sich um das Zentrum, einem dichten Kern voller Sterne. Unsere Sonne befindet sich in einem vom Zentrum der Galaxie weit entfernten Spiralarm.
Alle Sterne, die du am Himmel siehst – jedes Sternbild und alle Sternhaufen und Sternnebel, die du durch Teleskope erkennst – gehören zu unserer Galaxie.
Weit entfernt lauert etwas, was du nicht sehen kannst. Mit Infrarot- und Radioteleskopen haben Astronomen das Zentrum der Milchstraße erkundet und Sterne und Gasmassen entdeckt, die irrsinnig schnell um ein kleines, dichtes, dunkles Objekt wirbeln – vielleicht ein Schwarzes Loch.
Unsere Galaxie ist nur eine von vielen Galaxien im Universum. Alle anderen Galaxien sind weit entfernt – Licht von der uns nächsten, großen Galaxie, der Andromeda-Galaxie, braucht bis zu uns 2,8 Millionen Jahre.

Könntest du an einen Ort hoch über der Milchstraße reisen, hättest du einen Blick wie den unten gezeigten: Da ist ein glühender Kern mit alten gelben Sternen, umgeben von einer Wolke aus Kugelsternhaufen. Spiralarme aus jungen, blauen Sternen kreisen um den Kern. Die Galaxie würde bewegungslos erscheinen, weil sie sich so langsam bewegt, dass ein menschliches Auge keine Bewegung beobachten könnte.

INSIDESTORY

Die Entdeckung

„Meine früheste Erinnerung", erzählt die US-Astronomin Vera Rubin, „ist, wie ich nachts hinten im Auto saß und meinen Vater fragte, warum der Mond mit uns mitging. Ich kann mich noch gut erinnern, wie mich die Frage bewegte. Heute finde ich Fragen immer noch aufregend." Vera Rubins Wissensdurst führte sie zu einer bedeutenden Entdeckung – Galaxien sind von Wolken unsichtbarer dunkler Materie umgeben. Astronomen glauben heute, dass 90 Prozent der Materie des Universums dunkel sind, doch die Dunkelmaterie selbst ist rätselhaft. „Das Universum hält noch weitere Geheimnisse bereit", sagt Vera Rubin. „Ihre Aufdeckung obliegt wissensdurstigen Wissenschaftlern der Zukunft, die bereit sind, auch einmal wirklich weit hergeholte Fragen zu stellen."

Am Nachthimmel blicken wir auf die Spiralarme unserer Galaxie. Sie wölben sich wie ein blasses Lichtband über den Himmel. Dieses verschwommene Band nennen wir Milchstraße, und so nennen wir auch unsere ganze Galaxie.

Plejaden, offener Haufen

Omega Centauri, Kugelhaufen

WÖRTERBUCH

Der Name unserer Galaxie, **MILCHSTRASSE**, ist die Übersetzung der lateinischen Worte Via Lactea.

Das Wort **GALAXIE** kommt von dem griechischen Wort gata = Milch. Nach der griechischen Sage entstand das helle Band am Nachthimmel, als der kleine Herkules Milch versprühte.

SCHON GEWUSST?

Seit die ersten Dinosaurier vor 228 Millionen Jahren erschienen, hat die Sonne einmal unsere Galaxis umlaufen.

Im Zentrum der Milchstraße könnte ein Schwarzes Loch liegen, das so viel wie eine Million Sonnen wiegt.

WEGWEISER

- Wo ist der Platz der Milchstraße im Universum? Lies nach auf **S. 8–9**.
- Was sah Galileo, als er die Milchstraße durch ein Teleskop beobachtete? Lies nach auf **S. 10**.

SEI AKITV!

Die Milchstraße

Am besten lässt sich die Milchstraße weit weg von den Stadtlichtern beobachten. Die beste Zeit ist kurz vor Neumond im Sommer, Herbst oder Winter.
Wenn du die Milchstraße durchs Fernglas betrachtest, so siehst du, dass sie aus lauter einzelnen Sternen besteht. Im Juli oder August kannst du in der Nähe des Sternbilds Schütze in den vollsten Teil des Bandes, das Herz unserer Galaxie, blicken. Die dunklen Pfade aus Staub und Gas, die die glühenden Sternwolken durchschneiden, verbergen das Zentrum der Milchstraße.

Von der Seite würde unsere Galaxie wie eine fliegende Untertasse aussehen. Lege zwei CDs aufeinander und stecke eine Murmel in das Loch, dann hast du ein maßstabsgetreues Modell der Milchstraße. Die flache Scheibe und die gewölbte Mitte der Galaxie sind vielleicht von unsichtbarer Dunkelmaterie umgeben.

GALAXIEN–TYPEN

Viele verschiedene Arten von Galaxien bevölkern das Universum. Die meisten gehören vier Typen an.

In Spiralen wie der Whirlpool-Galaxie ragen mehrere Arme strahlender Sterne aus einem dicht gepackten Kern. Sterne in den Armen drehen sich um den Kern.

Wie die Große Balkenspirale haben manche Galaxien Arme, die am Ende von Balken sitzen. Unsere Milchstraße könnte eine Balkenspirale sein.

Elliptische Galaxien sind wie kosmische Bienenkörbe, in denen Milliarden Sterne in alle Richtungen schwirren. Große elliptische Galaxien wie M87 verschlingen kleinere Galaxien.

Manche Galaxien sind nur Sternansammlungen. Die Kleine Magellansche Wolke umkreist als irreguläre Galaxie die Milchstraße.

Milchstraße, durchschnittliche Galaxie

Zwerggalaxie, 15 x kleiner

Riesengalaxie, 15 x größer

Schwarze Löcher

Die 50 Milliarden Galaxien im bekannten Universum sind nicht gleichmäßig verteilt. Sie vereinen sich zu Haufen, die Tausende Galaxien zählen können. Die Haufen bilden Superhaufen um blasenähnliche Regionen leeren Raums.
Galaxien sind manchmal so dicht zusammengeballt, dass sie sich gegenseitig verformen oder sogar zusammenstoßen, wodurch es zu besonders vielen Sternengeburten kommt. Große Galaxien können kleinere verschlingen. So könnte die Milchstraße eines Tages ihre Nachbarn, die Magellanschen Wolken, „fressen".
Jede Galaxie könnte Schwarze Löcher enthalten. Allein unsere Galaxie beherbergt vielleicht Tausende, die bei einer Supernova-Explosion entstanden sind. Im Zentrum vieler Galaxien gibt es Schwarze Löcher, die Millionen Sterne verschluckt haben. Manche Galaxien erzeugen so unglaublich viel Energie, dass sie in ihrem Zentrum ein supermassives Schwarzes Loch besitzen müssen. Zum Glück sind selbst die nächsten Schwarzen Löcher zu weit entfernt, um unsere Sonne zu schlucken.

Quasare sind vielleicht massive Schwarze Löcher, die von der dicht gepackten Materie in jungen Galaxien leben. Aus einer Region in der Größe unseres Sonnensystems gibt ein Quasar (rechts) mehr Energie ab als eine ganze Galaxie.

Galaxien können zusammenstoßen, auseinanderreißen und dann mit neuen Sternen zurückkehren. Beim Zusammenstoß der Antennen-Galaxien (links) beginnen Milliarden junge blaue Sterne zu leuchten.

Im Zentrum einer Galaxie befindet sich eine Akkreditionsscheibe – ein Strudel aus Sternen, Gasen und Staub, der um ein Schwarzes Loch wirbelt. Das Loch selbst sendet kein Licht aus, doch man kann die Strahlung sehen, die die Materie bei ihrer Zerstörung abgibt. Das gierige Loch kann aber nicht alles verschlingen – übrig bleibende Gasmassen schießen wie Düsenstrahlen in den Raum.

SUCHE NACH SCHWARZEN LÖCHERN

Die Kameras des Hubble-Weltraumteleskops haben tief in die Zentren anderer Galaxien geblickt. Schwarze Löcher selbst bleiben zwar verborgen, werden aber von ihren wirbelnden Scheiben und Düsenjets verraten.

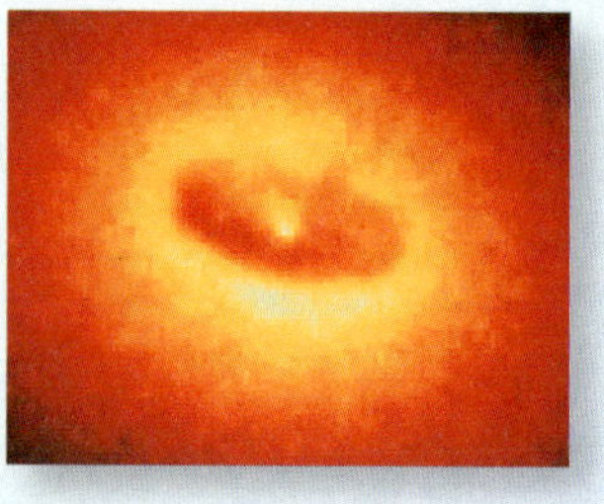

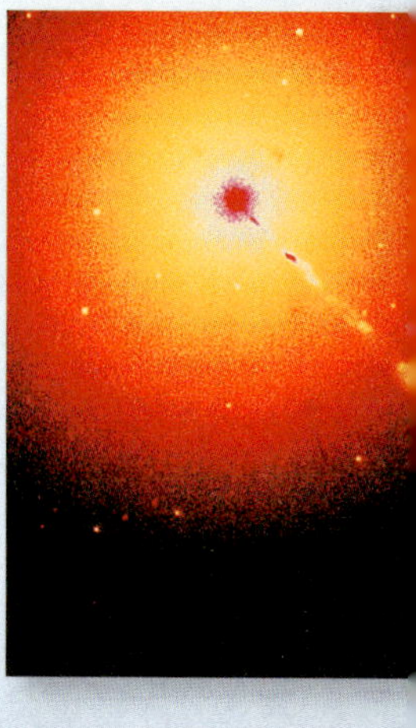

In einer nur mit ihrer Katalognummer, NGC 4261, bekannten Galaxie machte Hubble eine Aufnahme von einer Akkreditionsscheibe – einem Strudel rund um ein Schwarzes Loch.

WÖRTERBUCH

Objekte können so dicht sein, dass Licht aus ihnen nicht entkommen kann. Die Bezeichnung **SCHWARZES LOCH** stammt von John Wheeler, der sie als Erster verwendete.

QUASAR steht für „quasistellare (sternähnliche) Radioquelle".

SCHON GEWUSST?

Würde unsere Sonne zu einem Schwarzen Loch, umkreisten die Planeten sie immer noch. Ein Schwarzes Loch verschlingt nur sehr nahe Objekte.

Auf Murmelgröße zusammengequetscht, würde die Erde zu einem Schwarzen Loch.

WEGWEISER

- Womit sucht man nach Schwarzen Löchern? Lies nach auf **S. 10–11**.
- Wann kann ein Stern ein Schwarzes Loch werden? Lies nach auf **S. 52–53**.
- Warum glauben Astronomen, dass im Zentrum unserer Milchstraße ein Schwarzes Loch ist? **S. 56–57**.

INSIDESTORY

Im Schwarzen Loch

Auf deiner Reise durch den interstellaren Raum fällst du mit den Füßen voran in ein Schwarzes Loch. Doch das Loch ist so klein, dass seine Schwerkraft an deinen Füßen kräftiger zerrt als an deinem Kopf. Du wirst wie ein Spaghetti in die Länge gezogen. Wärst du in ein größeres Loch gefallen, hätte die Schwerkraft dich nicht ganz so gestreckt. Doch du wärst ohnehin der Strahlung im Schwarzen Loch zum Opfer gefallen. Um sicher durchs All zu kommen, brauchst du ein Wurmloch – einen kosmischen Tunnel, der weit entfernte Regionen des Alls verbindet. Wurmlöcher sind in Filmen sehr beliebt, aber niemand weiß, ob es sie wirklich gibt.

Unsere Milchstraße und die Andromeda-Galaxie sind die größten Mitglieder der Lokalen Gruppe, einem kleinen Haufen mit etwa 30 Galaxien. Hier ist Andromeda mit ihren zwei kleinen Nachbargalaxien zu sehen. Andromeda und die Milchstraße rasen aufeinander zu. In fünf Milliarden Jahre stoßen sie vielleicht zusammen und bilden eine gigantische elliptische Galaxie.

Ein Gasjet aus einem wirbelnden Schwarzen Loch wird aus der Riesengalaxie M87 geschleudert. Ihr hungriges Loch hat Sternmaterie verschlungen, die 3 Milliarden Sonnen entspricht.

In einer 190 Millionen Lichtjahre entfernten Galaxie, NGC 7052, zeigt Hubble eine Staubscheibe, die um ein Loch wirbelt, das 300 Millionen Mal schwerer als die Sonne ist.

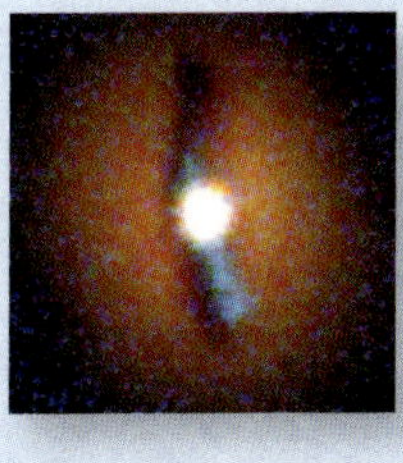

Die Galaxie NGC 6251 befindet sich im Sternbild Kleiner Bär. Der weiße Fleck ist Licht, das von superheißem Gas nahe einem Schwarzen Loch in der Galaxie ausgeht.

M33
2,2 Mio Lichtjahre entfernt

M83
22 Mio Lichtjahre entfernt

NGC 4639
78 Mio Lichtjahre entfernt

Das Universum

Nach der Urknalltheorie wurde unser Universum vor rund 15 Milliarden Jahren geboren. Die Theorie erklärt, dass unser Universum begann, als sich eine winzige Blase von einem anderen Universum abtrennte, das aus anderen Dimensionen bestand und in dem Raum und Zeit nicht existierten. Damit begann die Zeit. Die Blase explodierte und wurde superheiß. Als sie abkühlte, entstand daraus alle Materie und Energie, die wir heute sehen.
Die Explosion hält immer noch an – alle Galaxien entfernen sich voneinander. Wie ein Ballon bläht sich der Raum auf und die Galaxien entfernen sich immer weiter. Diese Expansion des Universums wurde in den 1920er-Jahren entdeckt. Dann wurde um 1960 die kosmische Hintergrundstrahlung – das schwache Echo des Urknalls – entdeckt. Expansion und Hinter- grundstrahlung scheinen für die Urknalltheorie zu sprechen.
Wie bei allen Theorien führen auch beim Urknall neue Ideen und Beweise zu Änderungen. So könnte unser Universum eines von vielen, miteinander verbundenen Universen sein. Die Inflationstheorie geht davon aus, dass unser Universum so riesig ist, dass, wäre es so groß wie die Erde, der für uns sichtbare Teil des Universum kleiner als ein Staubkorn wäre. Das Universum ist so voller Geheimnisse, dass es immer wieder Neues zu entdecken geben wird.

Eine kosmische Urblase mit Zeit und Raum, gleißend bei einer Temperatur von Aberbillionen Grad, bläht sich wie ein kosmischer Ballon auf. Dabei kühlt sie ab. Winzige Teilchen, Elektronen und Quarks, kondensieren zu einer atomaren Suppe. Die Suppe erstarrt, und es bilden sich Teilchen, Neutronen und Protonen. Dann entstehen Wasserstoff- und Heliumatome. Durch die Schwerkraft ballen sich diese Atome zusammen und bilden die ersten Sterne und Galaxien

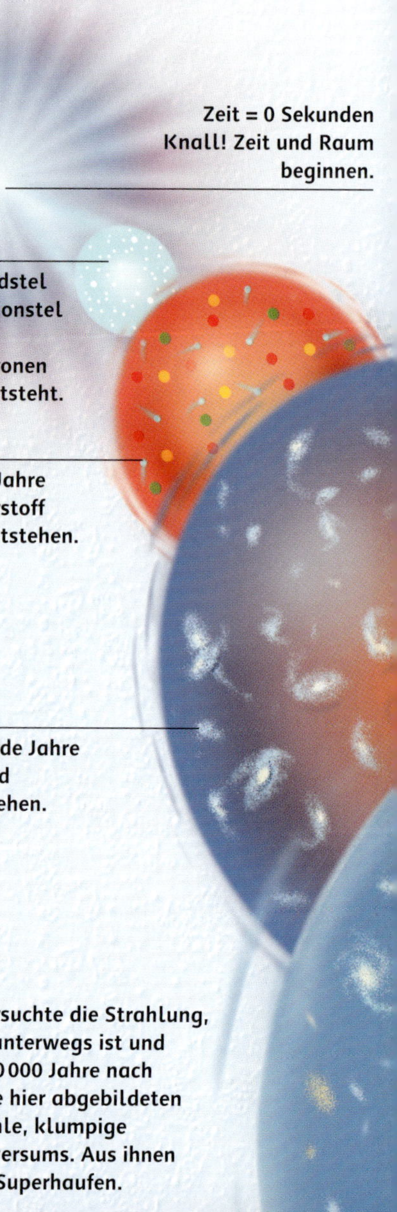

Zeit = 0 Sekunden
Knall! Zeit und Raum beginnen.

Zeit = 1 milliardstel billionstel billionstel Sekunde
Materie (Elektronen und Quarks) entsteht.

Zeit = 300 000 Jahre
Atome (Wasserstoff und Helium) entstehen.

Zeit = 1 Milliarde Jahre
Erste Sterne und Galaxien entstehen.

INSIDESTORY

Raum und Zeit

„Noch immer versuche ich den Ursprung unseres Universums zu verstehen", sagt Stephen Hawking mithilfe seines Sprachcomputers. Der durch eine Muskelkrankheit gelähmte englische Physiker erklärt zum Beginn von Raum und Zeit aufgrund von Kopfrechnungen: „Im frühen Universum ist Zeit nicht mehr wohldefiniert, so wie die Richtung Norden am Nordpol nicht mehr wohldefiniert ist. Danach zu fragen, was vor dem Urknall war, ist so, als fragte man nach einem Punkt einen Kilometer nördlich des Nordpols."

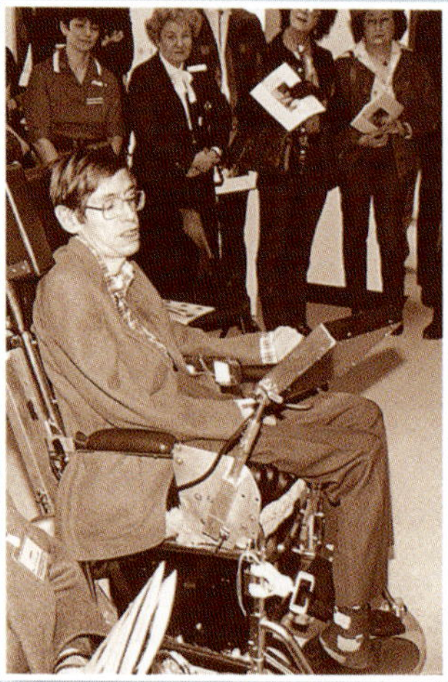

Der Satellit COBE untersuchte die Strahlung, die seit Jahrmilliarden unterwegs ist und blickte so in die Zeit 300 000 Jahre nach dem Urknall zurück. Die hier abgebildeten blauen Gebiete sind kühle, klumpige Gebiete des jungen Universums. Aus ihnen bildeten sich Galaxien-Superhaufen.

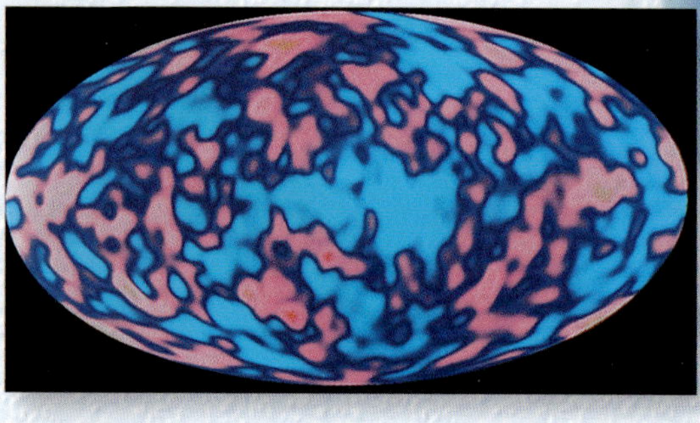

Quasar PKS2349, 1,5 Milliarden Lichtjahre entfernt

RD1, 12 Milliarden Lichtjahre entfernt

WÖRTERBUCH

Der Ausdruck **URKNALL** wurde 1950 von dem amerikanischen Physiker Fred Hoyle benutzt, der die Theorie von einem unveränderlichen Universum vertrat. Er machte sich über die Theorie vom „Großen Knall“ (engl.: Big Bang) lustig. Die Wortschöpfung verselbstständigte sich und wurde zum offiziellen Begriff für den Anfang der Welt.

SCHON GEWUSST?

Gleich nach dem Urknall, in einem winzigen Sekundenbruchteil, dehnte sich das Weltall 100 Billionen Billionen Billionen Billionen Mal aus.

Das Universum enthält ungefähr so viele Sterne wie es Sandkörner an allen Stränden der Welt gibt.

WEGWEISER

- Wer entdeckte, dass das Weltall sich ausdehnt? Lies nach auf **S. 9**.
- Gibt es noch irgendwo anders Leben im Universum? Lies nach auf **S. 18–19**.
- Wie ist das Sonnensystem entstanden? Lies nach auf **S. 23**.

SEI AKTIV!

Dein Universum

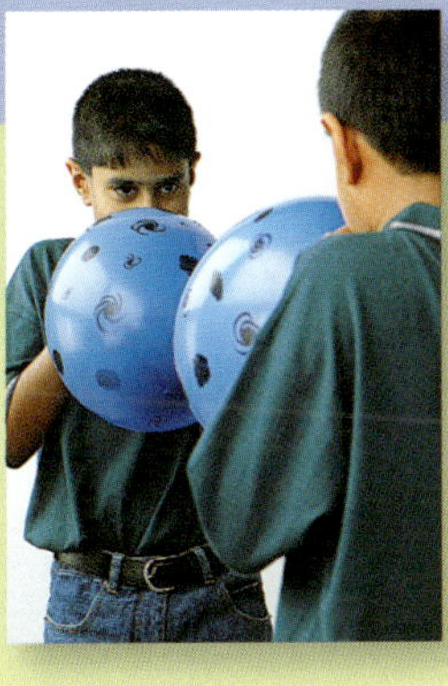

Du kannst dir ein Universum bauen.

1. Blase einen runden Ballon auf, bis er etwa so groß wie eine Orange ist, und halte ihn zu, damit keine Luft entweicht.
2. Male mit einem Filzstift etwa 20 Galaxien in gleichem Abstand auf den Ballon. Sie können Spiralen, elliptisch oder unregelmäßig geformt sein.
3. Blase den Ballon vor einem Spiegel auf. Kannst du sehen, wie sich die Galaxien voneinander fortbewegen?

Das Universum dehnt sich wie der Ballon aus, und all ihre Galaxien entfernen sich voneinander.

ZUKUNFT DES UNIVERSUMS

Obwohl es noch andere Theorien über den Anfang des Weltalls gibt, erklärt ihn doch keine so gut wie die Urknalltheorie. Aber wie wird das Universum enden? Wissenschaftler halten zwei Wege für möglich. Neue Teleskope liefern vielleicht die Antwort oder erbringen Beweise dafür, dass unser Universum sich so verhält, wie wir es uns bisher nicht vorstellen konnten.

Zeit = 15 Milliarden Jahre
Heute hat das Universum 50 Milliarden Galaxien.

So wie ein hoch geworfener Ball auf die Erde zurückfällt, hört unser Universum vielleicht auf, sich auszudehnen, und beginnt, in sich zusammenzufallen. In Billionen von Jahren wird dann alle Materie und Energie in einem heißen „Endknall“ komprimiert.

Vielleicht gibt es nicht genug Materie und Schwerkraft, um die Ausdehnung des Universums zu stoppen. In Billionen von Jahren wird der Raum dann dunkel, weil Galaxien in Schwarze Löcher stürzen. Danach zerfallen die Schwarzen Löcher zu Teilchen.

Asteroid Urknall Schwarzes Loch Haufen Komet

Worterklärungen

Achse Eine gedachte Linie durch den Mittelpunkt eines Planeten, Monds oder Sterns. Ein Planet, Mond oder Stern dreht sich – rotiert – um seine Achse.

Asteroid Ein Objekt aus Gestein und/oder Metall, das um die Sonne kreist. Auch als Kleinplanet bezeichnet. Die meisten Asteroiden kreisen im Asteroidengürtel zwischen Mars und Jupiter.

Astronomie Die wissenschaftliche Erforschung des Sonnensystems, unseres Milchstraßensystems und des Universums.

Atmosphäre Eine Gashülle, die einen Planeten, Mond oder Stern umgibt.

Atom Ein Atom ist die kleinste Einheit eines Elements, wie zum Beispiel Wasserstoff, Sauerstoff und Eisen. Atome bestehen aus noch kleineren Teilchen – Elektronen, Protonen und Neutronen.

Bakterien Die einfachsten Lebensformen auf der Erde, bestehend aus einzelnen Zellen. Bakterien waren wahrscheinlich die ersten Lebensformen, die sich entwickelten.

Bedeckungsveränderliche Sterne, die alle paar Tage oder Wochen ihre Größe verändern und heller leuchten, wenn sie sich aufblähen, und beim Schrumpfen dunkler werden.

erdnaher Asteroid Ein Asteroid, der dicht an der Sonne vorbeifliegt und die Umlaufbahn der Erde kreuzt.

Galaxie Eine Gruppe von Milliarden Sternen, die von der Schwerkraft zusammengehalten werden.

Gasriese Ein großer Planet, der überwiegend aus Wasserstoff besteht. Die Gasriesen unseres Sonnensystems sind Jupiter, Saturn, Uranus und Neptun.

Haufen Eine Ansammlung von Sternen oder Galaxien, die durch die Schwerkraft zusammengehalten werden. Locker verbundene Haufen von mehreren Hundert jungen Sternen werden offene Haufen genannt. Dicht gepackte Gruppen von Hunderttausenden von alten Sternen heißen Kugelhaufen. Galaxien bilden Galaxienhaufen.

Horizont Die gedachte Linie, wo sich Himmel und Erde zu berühren scheinen.

Hubble-Weltraumteleskop Ein großes Teleskop, das über der Erdatmosphäre kreist. Hubble liefert die schärfsten Bilder, die je von Sternen und Galaxien gemacht wurden.

Infrarotenergie Unsichtbare Strahlung, die langwelliger ist als sichtbares Licht. Neben einem Feuer oder einer Heizung empfindet man sie als Wärme.

Kern Die innerste Region eines Himmelskörpers. Die Erde hat einen Kern aus Nickel und Eisen. Die Sonne erzeugt ihre Energie durch atomare Fusion in ihrem Kern.

Komet Ein Himmelskörper aus Staub und Eis, der die Sonne umkreist. Nähert sich ein Komet der Sonne, schmilzt sein Eis und bildet Staub- und Gasschweife.

Konvektionszone Eine Region in einem Stern, wo heißes Material in kühlere Regionen aufsteigt und wieder absteigt, ähnlich der Bewegung von kochendem Wasser.

Krater Eine runde Narbe, die auf einem Planeten oder Mond zurückbleibt, wo ein Komet oder Asteroid eingeschlagen ist.

Kruste Die äußere Schicht eines festen Planeten, Mondes oder Asteroiden.

Kuiper-Gürtel Bereich jenseits von Pluto, wo Tausende kleiner Eiskometen kreisen.

Lava Geschmolzenes Gestein, das aus einem Vulkan oder durch einen Riss in der Oberfläche eines Planeten oder Mondes quillt.

Lichtjahr Die Entfernung, die ein Lichtstrahl in einem Jahr zurücklegt – 9,5 Billionen km.

Lokale Gruppe Ein Haufen mit rund 30 Galaxien, darunter unser Milchstraßensystem.

Magnetfeld Raum, in dem die magnetischen Kräfte eines Himmelskörpers wirken.

Mantel Im Innern eines Gesteinsplaneten die Schicht unterhalb der Kruste und über dem Kern.

Meteor Der helle Lichtstreifen, der entsteht, wenn ein Gesteinsbrocken in die Erdatmosphäre eintritt und verglüht. Meteore werden auch Sternschnuppen genannt.

Meteorit Meteoriten sind Körper aus dem All, die in die Erdatmosphäre eindringen, aber nicht ganz verglühen. Manche Riesenmeteoriten hinterließen große Einschlagstellen wie das Nördlinger Ries mit einem Durchmesser von 25 km.

Milchstraße Die Galaxie, in der sich unser Sonnensystem und alle Sterne, die wir am Himmel sehen, befinden. Auch das silbrige Sternenband am Himmel.

Milliarde Tausend Millionen. In Zahlen geschrieben als 1 000 000 000.

Mond Himmelskörper, der einen Planeten umkreist.

Nebel Eine Wolke aus Gas und Staub im Raum. Ein Nebel kann hell oder dunkel sein.

Neutronenstern Ein extrem dichter Stern, der bei einer Supernova-Explosion übrig bleibt.

Nova Ein Explosion, die dadurch verursacht wird, dass ein Stern seinem Begleitstern zu viel Gas entzieht. Nach der Nova holt sich der Stern erneut Gas.

Sternbild Veränderlicher Stern Galaxie Gasriese Hubble-Weltraumteleskop Milchstraße

Mond · Nebel · optisches Teleskop · Mondphase · Robotersonde · Roter Riese

Oortsche Wolke Ein Schwarm von Millionen Kometen, der sich vom Kuiper-Gürtel fast bis zum nächsten Stern erstreckt.

optisches Teleskop Ein Teleskop, das sichtbares Licht einfängt.

Orbit Die Bahn, auf der sich ein Himmelskörper wie die Erde um einen anderen wie die Sonne bewegt.

Phasen Die Veränderungen im Erscheinungsbild eines Himmelskörpers wie des Mondes, von dem wir immer nur den von der Sonne beleuchteten Teil sehen.

Photosphäre Die sichtbare Oberfläche der Sonne oder eines anderen Sterns.

Planet Ein großer Himmelskörper wie Mars, der einen Stern wie die Sonne umkreist. Weil er kein eigenes Licht wie ein Stern erzeugt, ist ein Planet nur zu sehen, weil er das Sonnenlicht reflektiert.

planetarischer Nebel Eine Gaswolke, die entsteht, wenn ein sterbender Stern seine äußeren Hüllen abstößt.

Polarlicht Farbiges Leuchten am Himmel, das auftritt, wenn von der Sonne abgestrahlte Teilchen in die Erdatmosphäre eindringen. Auch als Nord- oder Südlicht bekannt.

Pole Zwei entgegengesetzte Punkte auf der Oberfläche eines rotierenden Planeten, Mondes oder Sterns. Die Achse eines Planeten, Mondes oder Sterns durchstößt die Pole.

Pulsar Ein schnell rotierender Neutronenstern, der regelmäßige Pulse aussendet.

Quasar Abgekürzt für „quasi-stellare Radioquelle", der Kern einer fernen jungen Galaxie, die gewaltige Energiemengen ausstrahlt.

Radioastronomie Die Erforschung von Objekten des Sonnensystems mithilfe von Radiowellen, die von deren Oberflächen zurückgeworfen werden.

Radioenergie Unsichtbare Strahlung, die langwelliger ist als infrarotes Licht.

Raumfähre Auch Spaceshuttle. Ein wiederverwendbarer Flugkörper der NASA, der Menschen und Lasten in eine Umlaufbahn um die Erde bringt.

Raumsonde Ein unbemannter Raumflugkörper, der die Schwerkraft der Erde verlässt und das Sonnensystem erforscht. Mit Sonden wurden bisher Planeten, Monde, Asteroiden, Kometen und die Sonne angeflogen.

Raumstation Ein künstlicher Satellit, der die Erde umkreist und für längere Zeiträume von Menschen bewohnt werden kann.

Röntgenenergie Unsichtbare Strahlung, kurzwelliger als ultraviolettes Licht.

Roter Riese Ein großer, kühler Stern in einer späten Phase seines Lebens.

Satellit Ein Raumflugkörper oder Mond, der einen größeren Himmelskörper umkreist. Künstliche Satelliten werden zur Erforschung der Erde und des Weltraums in eine Umlaufbahn um die Erde gebracht.

Schwarzes Loch Ein unendlich dichtes Objekt mit so starker Schwerkraft, dass aus ihm selbst Licht nicht entkommen kann. Ein Schwarzes Loch kann entstehen, wenn ein massereicher Stern als eine Supernova explodiert. Supermassive Schwarze Löcher haben Millionen von Sternen verschlungen.

Schwerkraft Die Kraft, mit der sich Objekte gegenseitig anziehen. Sie hält Planeten und Monde auf ihrer Umlaufbahn und hält auch uns Menschen auf dem Erdboden fest.

Sonnensystem Planeten, Kometen, Asteroiden, Meteoroiten und Staubteilchen, die einen zentralen Stern umkreisen. Unser Sonnensystem besteht aus acht Planeten und zahllosen Kometen, Asteroiden, Meteoriten und Staubteilchen, die um die Sonne kreisen.

Spiralgalaxie Eine große Galaxie mit mehreren Armen, die von einem Kern ausgehen. Sie gleicht einem Speichenrad.

Stern Eine große Wasserstoffkugel, die Licht und Wärme erzeugt. Die Sonne ist ein Stern.

Sternbild Eines von 88 Sternmustern, die am Nachthimmel zu sehen sind.

Strahlung Der Vorgang, bei dem Energie in Form von Wellen oder Teilchen durch den Raum geschickt wird.

Strahlungszone Die tief im Innern eines Sterns gelegene Region, aus der Energie in die Konvektionszone gelangt.

Supernova Die extrem gewaltige Explosion eines Sterns. Zu einer Supernova kommt es, wenn ein Riesenstern seine Brennstoffvorräte aufgebraucht hat oder wenn ein Stern so viel Gasmassen aus seinem Begleitstern zu sich herüberzieht, dass er explodiert.

Supernova-Überrest Die gasförmigen Reste eines als Supernova explodierten Sterns.

Trojaner-Asteroiden Zwei Gruppen von Asteroiden, die die Sonne in der gleichen Bahn wie Jupiter umkreisen.

ultraviolette Energie Unsichtbare Strahlung, die etwas kurzwelliger ist als sichtbares Licht. Die ultravioletten Strahlen der Sonne verursachen Sonnenbrand.

Universum Alle Materie – alle Galaxien, Schwarzen Löcher, Sterne, Nebel, Monde, Planeten, Kometen, Asteroiden, Meteoriten und Staub, die im Weltall verteilt sind.

Weißer Zwerg Ein kleiner, sehr heißer Stern, dessen Leben zu Ende geht.

Urknalltheorie Die Theorie, dass das Weltall entstand, als eine winzige Energieblase vor rund 15 Milliarden Jahren explodierte.

Gesteinsplanet · Satellit · Raumfähre · Raumstation · Stern · Supernova

Register

Bibliografische Information der Deutschen Nationalbibliothek
Die Deutsche Nationalbibliothek verzeichnet diese Publikation in der Deutschen Nationalbibliografie. Detaillierte bibliografische Daten sind im Internet über *http://dnb.d-nb.de* abrufbar.

3 2 1 11 10 09

Titel der Originalausgabe: Space
© 1999 Weldon Owen Pty Limited
Text: Alan Dyer, Illustrationen: Julian Baum/Wildlife Art Ltd, Tom Connell/Wildlife Art Ltd, Christer Eriksson, Murray Frederick, Christ Forsey, Lee Gibbons/Wildlife Art Ltd, Ray Grinaway, David A. Hardy/Wildlife Art Ltd, Oliver Rennert, Christ Stead, Marco Sparaciari, Tony Wellington, Rod Westblade. Übersetzung aus dem Englischen: Philip Stuhlmann
Printed in Germany
ISBN 978-3-473-55274-0

www.ravensburger.de

BILDNACHWEIS: ((o=oben, u=unten, l=links, r=rechts, m=Mitte, a=außen, K=Klappe,V=Vorderseite, U=Umschlag, R=Rückseite) (AAO=Anglo-Australian Observatory, AAT=AngloAustralianTelescope, APL=Australian Picture Library, ASP=Astronomical Society of the Pacific,TPL=The Photo Library, Sydney, SPL=Science Photo Library.) **AAO** 54m (D. Malin), 47ml, 53u, 54ur, 55mr, 57tmr. **AAP Image** 12r, 15ul, 17bu. **AAT** 57umr (D. Malin), 54ul, 57ur. **Ad-Libitum** 12mo, 12mu, 19ur, 22u, 24ul, 50l, 61o, I ll, 26u, 49r (M. Kaniewski). **APL** 34m (Woodfin Camp), 42ul. **ASP** I lor, 29t, 37um, 42ur, 45ur, 56ul. **Austral** 42m (FOTO). **Alan Dyer** 20mur, 28or, 29or, 48ul. **E.T.Archive** 52m. **Akira Fujii** 8mr, 21aul, 27r, 29ur, 37ul, 45um, 55or, 62m. **IAC Photo** 11 mr (D. Malin). **Image Select** 9r. **Mary Evans Picture Library** 22or. **David Miller** 30or. **NASA** 9ur, 37ml, 38ul, 52/53m (JPL Photo), 58um (Leiden Observatory/W. Jaffe), 58ul, 59um, 59ur (STScl), 13r, 25r, 30m, 31r, 33or, 45ul. **Newell Color** 6or, 8ml, 47ol, 55ul. **Novosti 1**3m. **The Image Bank** 28ul (S. Krongard). **TPL** 51mr, 59m (J. Chumack), 11 ul (T. Craddock), 47om, 54/55m (I. M. House), 59m (Jodrell Bank), 8ul (Nigel Press), 51ml, 56r (SPL/L. Dodd), 17m, 28/29m (SPL/ ESA), 44ur (SPL/G. Garradd), 21ol, 33um (SPL/D.Hardy), 44ul (SPL/Magrath/Nielsen), 1 lm (SPL/ Magrath Photography), 8ur, 14l, 15m, 19cm, 31m, 33ol, 35o, 36um, 36ur, 37ml, 41mr, 41ul, 60ur (SPL/ NASA), I lur, 52bl (SPL/Max-Planck-Institut), 41um (SPL/ D. Parker), 34l (SPL/J. Samford), 19o (SPL/Dr. S. Shostak), 60ul (SPL/Dr. R. Stepney), 25ol, 47mr, 55ur, 58ur (SPL), 41r (SPL/US Geological Survey), 57or (SPL/US Naval Observatory), 9ul, 26m (World Perspectives), 45ml. **Tom Stack & Associates** 57m (B. & S. Fletcher), 21 ur, 4**1** ur. **UA News Services** 34or (L. Stiles). **UC Berkeley** 5lor (G. Marcy).

ILLUSTRATIONSNACHWEIS: Julian Baum/Wildlife Art Ltd 20cmr, 26or, 26mr, 26ul, 26um, 26ur, 27ul, 27ur, 36/37m, 37ur, 63or. **Gregory Bridges 32ul.Tom Connell/WildlifeArt Ltd** 6ur, 6aur, 7ol, 7or, 12/13m, 12ol, 12oml, l2tmr, 12or, 12ul, 12um, 12ur, 13ul, 13um, 13ur, 14/15m, Hol, 14tor, 14ul, 14um, Hur, 15ol, 15r, 62ur, 63ul, 63uml, 63umr. **Christer Eriksson** 7ubl, 7ur, 18/19 m, 18/19 u, 18ol, 18om, 18or, 63ual. **Chris Forsey** 5um, 32/33m, 32um, 46aor, 46or, 46r, 48o, 48ul, ul, 49ur, 50u, 62ual, 63aor, 63ur. **Murray Frederick** 20mor, 21 or, 24ur, 25ul, 25um, 25ur, 35or, 35mr, 35ur. **Lee Gibbons/Wildlife Art Ltd** 21mu, 38/39m, 38r, 38um, 38ur, 39ul, 39ur, 47or, 56/57m, 56ol, 56or, 56ul, 56ur, 57u, 62or, 62uml. **Ray Grinaway** 24ol, 6ol, 28ol, 28om, 28or, 28um, 28ur, 30ol, 30om, 32ol, 34ol, 36ol, 36om, 38ol, 38om, 40ol, 40om, 42ol. **David A. Hardy/ Wildlife Art Ltd** 4or, 4mr, 4ur, 6aur, 7ml, 7mcr, 8o, 8ol, 8om, 9m, 16/17m, 16ol, 16om, 16or, 16ul, 16ur, 17o, 17r,20or, 21ul, 22/23m, 22o/bu, 23r, 23u, 24/25m, 24ml, 26ml, 27m, 28ml, 30ml, 30ul, 32ml, 36ml, 381, 40/41m, 401, 40ul, 40ur, 42/43m, 42o, 421,43o, 43r, 43um, 44/45m, 44ol, 44om, 44otr, 44l, 44m, 46u, 46ur, 47ul, 47um, 47ur, 48/49m, 52ol, 52om, 52or 52ul, 52ur, 53r, 54ol, 54or, 58/59m, 58ol, 58om, 58or, 59r, 60/61mu, 60ol, 60om, or, 60ul, 60ur, 61or, 61ur, 62aor, 62ol, 62om, 62ul, 62umr, 62uar, 63oal, 63ol, 63uar. **Robert Hynes 41** or. **Peter Mennim** 38m. **Oliver Rennert** 10/1 lm.**Trevor Ruth 21**mo, 36m.**Marco Sparaciari** 4tmr, 6mor, 6mur, 10ol, 10om, 10or, 10r, 10ul, 10um, 10ur, 11aor, 11amr, 11aur, 20ur, 30/31u, 30um, 32om, 32or, 32um, 32ur, 33or, 33r, 33ur, 63oml. **Chris Stead** 46rm, 50/51 m. **Kevin Stead** 62aol. **CliffWatt** 37mr. **Tony Wellington** 34/35m, 34om, 34ubl, 34ur. **Rod Westblade** 24o, 29m, **31** ul. **David Wood** 25r, 29mr, 50o.

UMSCHLAGSFOTOS: mauritius images/age + http://nix.nasa.gov/copyright.html (Astronaut), mauritius images/Workbookstock (Mond unten), mauritius images/Phototake (Satellit)